27 MAI

Véronique Miclette

Marion Provencher

Anne-Marie Santerre

27 MAI

Libre Expression
Une société de Québecor Média

Catalogage avant publication de Bibliothèque et Archives nationales du Québec et Bibliothèque et Archives Canada

Miclette, Véronique

27 mai
ISBN 978-2-7648-1088-0
I. Provencher, Marion. II. Santerre, Anne-Marie. III. Titre. IV. Titre: Vingt-sept mai.

PS8626.I32V56 2015 C843'.6 C2015-940319-7
PS9626.I32V56 2015

Édition: Marie-Eve Gélinas
Révision et correction: Martin Duclos et Sabine Cerboni
Couverture et mise en pages: Chantal Boyer
Illustration de la couverture: Stéphane Lauzon

Remerciements
Nous reconnaissons l'aide financière du gouvernement du Canada par l'entremise du Fonds du livre du Canada pour nos activités d'édition.
Nous remercions le Conseil des Arts du Canada et la Société de développement des entreprises culturelles du Québec (SODEC) du soutien accordé à notre programme de publication.
Gouvernement du Québec – Programme de crédit d'impôt pour l'édition de livres – gestion SODEC.

Les Éditions Libre Expression
Groupe Librex inc.
Une société de Québecor Média
La Tourelle
1055, boul. René-Lévesque Est
Bureau 300
Montréal (Québec) H2L 4S5
Tél.: 514 849-5259
Téléc.: 514 849-1388
www.edlibreexpression.com

Dépôt légal – Bibliothèque et Archives nationales du Québec et Bibliothèque et Archives Canada, 2015

ISBN: 978-2-7648-1088-0

Distribution au Canada
Messageries ADP inc.
2315, rue de la Province
Longueuil (Québec) J4G 1G4
Tél.: 450 640-1234
Sans frais: 1 800 771-3022
www.messageries-adp.com

Diffusion hors Canada
Interforum
Immeuble Paryseine
3, allée de la Seine
F-94854 Ivry-sur-Seine Cedex
Tél.: 33 (0)1 49 59 10 10
www.interforum.fr

Nous tenons à dédier ce livre à nos familles
et amis ainsi qu'à notre public cible :
Sa Majesté la reine Élisabeth II et Jamel Debbouze.

Dès le début de l'écriture de ce manuscrit, nous avons eu pour but d'inclure le plus grand nombre possible de références sociales, culturelles, humoristiques, historiques et même politiques sans toutefois évoquer d'événement précis. C'est pour cette raison que toute ressemblance avec des événements passés ou futurs ou avec des personnages réels ou fictifs est probablement volontaire.

Résumé des épisodes précédents

Sophie, Ray et Lily entament la mi-vingtaine avec un projet audacieux: partir vivre à Londres. Après un départ de Montréal sous le signe de la fête, elles arrivent dans leur ville d'accueil, plus précisément dans un appartement trouvé sur Internet qui leur offre toutes les joies d'un « semi-meublé ». Ensemble, elles décident de prendre d'assaut leurs carrières respectives dans une des villes les plus diversifiées du monde.

Riches de leurs ambitions et fortes de leurs différences, elles n'attendent pas le prince charmant (sachant que, s'il passe, elles peuvent quand même lui dire un petit bonjour) et cherchent plutôt à vivre pleinement leurs passions.

Rêvant du jour où les pâtes blanches ne seraient plus au cœur de leur alimentation, Lily, comédienne fonceuse à la crinière rousse, devient préposée au vestiaire dans un théâtre; Sophie, archéologue de formation, se trouve un emploi comme « passeuse de plans » pour un salaire de crève-la-faim ; tandis que Ray, économiste et journaliste, refuse tout stage non rémunéré.

Les différentes péripéties des filles sont entrecoupées par de courts moments du 27 mai, journée qui débute dans un majestueux hôtel où se prépare un événement important dans la vie des trois amies…

Pour lire les premiers épisodes publiés en primeur dans *Le Journal de Montréal*, rendez-vous au www.27mai.ca.

One of the Boys

La confiance de femme forte et indépendante de Lily prend la débarque du siècle lorsqu'elle pousse la porte et entre dans le bâtiment gris acier. Elle respire profondément et resserre sa main sur la bandoulière de son sac pour ne pas laisser la peur l'envahir devant la dizaine d'hommes qui attendent déjà en file, contre le mur du couloir. Lily passe à côté d'eux la tête haute pour se rendre jusqu'au bureau, où siège une femme dans la quarantaine qui tape à une vitesse fulgurante à l'ordinateur. Lorsque la femme prend la peine de lever le regard vers Lily, celle-ci l'observe avec de grands yeux dans lesquels transparaît toute l'inquiétude du monde. La secrétaire la regarde comme si elle venait tout juste d'entrer dans un temple bouddhiste accoutrée comme le chapelier fou. C'est sûrement la raison pour laquelle elle ne prend pas la peine de lui dire bonjour avant de lancer froidement :

— *I'm sorry, Miss, but the audition for Colombina was yesterday.*

— *I know. I'm here for Arlequino.*

— *Oh...*

— *It's not only for men, is it?*

— *Eeeh...*

— *Because the audition call said: « Tall or small, big or skinny, men or women. Give it a try! »* récite Lily pour alléger l'atmosphère.

Elle a justement apporté la petite annonce. Plus pour elle qu'autre chose. Pour se convaincre qu'elle ne l'a pas imaginée et qu'elle a bien le droit d'être ici, aujourd'hui. Avant de quitter l'appartement, elle a pris le temps de la coincer soigneusement entre un CD de Sigur Rós et un roman de Ducharme. La dame lui sourit de façon forcée et lui donne un numéro avant de lui montrer de la main la file d'hommes le long du mur. Lily remarque qu'ils portent tous des vêtements confortables et s'étirent. Elle cherche discrètement les toilettes pour femmes afin de pouvoir se changer. Elle tourne en rond jusqu'à ce qu'un des candidats pointe le doigt vers le fond du couloir.

— *Restrooms? Second door to your left.*

Lily lui sourit timidement, se sentant mourir de l'intérieur. La peur la gruge et fait transpirer la honte par tous les pores de sa peau. Elle entre dans les toilettes pour femmes. Elle prend quelques secondes pour s'installer devant le miroir et pour s'observer un peu. « Je serai bien la seule à les utiliser comme vestiaire aujourd'hui... » se dit-elle en lançant un sourire désolé à son reflet. Une fois changée, la jeune femme ressort, la tête toujours haute, mais avec comme seul véritable désir celui de devenir invisible. De retour dans la file, elle s'assoit à même le sol pour s'étirer. Quatre personnes sortent de la salle d'audition: un grand homme aux fins cheveux blancs qui lui tombent sur les épaules, deux hommes dans la quarantaine et une femme au sourire chaleureux. La secrétaire se lève pour leur parler. Elle ne lâche pas Lily des yeux. La Québécoise décide de soutenir son regard jusqu'à ce que ses interlocuteurs la regardent eux aussi. La secrétaire tend un journal au plus âgé des trois hommes. Il lit par-dessus ses lunettes et hausse les épaules en rendant le journal à la secrétaire. Il prend la liste sur le bureau:

— *Number one, please*, clame-t-il d'une voix forte.

*

Lorsque l'heure sonne enfin pour Lily, huit hommes sont maintenant en file derrière elle. Un candidat est même allé se placer devant elle, s'imaginant sûrement qu'elle n'était là que pour attendre quelqu'un. Lily se lève. Lily avance. Son cerveau tourne au ralenti. Comment aucune autre fille ne peut-elle s'être présentée? Elle ne peut pas être la seule! Elle entre dans la salle, se sentant de plus en plus petite dans son pantalon rouge flamboyant. Elle tend son CV aux quatre juges assis en leur souriant chaleureusement; ce sont le vieil homme, la dame et les deux quadragénaires qui l'ont étudiée du regard dans le couloir tout à l'heure. Ils lui demandent de présenter une improvisation d'environ cinq minutes sur un thème choisi au hasard. Le sien: le festin. Elle sera accompagnée de l'acteur qui incarnera Pantalone. Il la laissera guider l'improvisation et jouera avec ce qu'elle aura à lui proposer. Lily acquiesce. On lui tend un vieux masque d'Arlequino qu'on prête à tous les candidats. Elle sort trois pommes de son sac et les dépose sur la table des juges. Lily remarque à peine que le vieil homme, qui était assis un instant plus tôt, attache ses cheveux blancs, se lève et met le masque de l'avare. Après une grande respiration et un craquement d'orteils, elle enfile le masque. La fête peut commencer.

*

Lily traverse la rue d'un pas conquérant. Elle fonce, un sourire flottant sur ses lèvres. La musique résonne dans ses oreilles. Du haut de ses talons turquoise, elle fronce le nez de plaisir sous les notes qui déferlent dans ses écouteurs. Rien ne pourrait l'arrêter, pas même ce bel homme à l'allure décontractée qui porte des Converse au coin de la rue. La brise froide s'invite à entrer avec elle lorsque la jeune femme passe la porte d'un café, le point de ralliement du jour. Son sourire s'agrandit lorsqu'elle voit ses deux complices déjà assises à une table.

— Vous refaites le monde sans moi ? lance Lily en prenant place devant elles.

— On vient juste de commencer, répond Ray en souriant.

— Bon, pourquoi tu nous as amenées ici ? enchaîne Sophie.

Même après avoir raconté son audition dans ses moindres détails, Lily exagère son histoire, passant volontairement par-dessus ce que ses amies veulent vraiment entendre.

— Je voyais des vieux enfants qui s'amusaient. C'était beau de les voir rire ! J'avais devant moi la plus belle raison d'avoir des rides sur le bord des yeux ! C'était magnifique ! s'exclame-t-elle, les mains autour de sa troisième tasse de café.

— Oui, mais tu l'as ou tu l'as pas, le rôle ? répond Sophie, la bouche pleine de brownie.

— D'après toi ? lance Lily en s'étirant, incapable de contenir son sourire. Vous avez devant vous une fille qui peut maintenant commencer à penser à peut-être songer à rentabiliser ses études en théâtre.

— Les joggings de McGill t'ont porté chance, affirme Ray.

— Évidemment.

— Tu commences pas tes répètes avant Noël, j'espère ? continue la blonde.

— Non. *We're starting in February.* Tu peux appeler ta mère pour confirmer.

— Du 23 décembre au 6 janvier : vin, soleil et sud de la France ! lance Ray.

I've Just Seen a Face

La neige tombe tranquillement, clairsemée, contrastant avec celle de la ville aux cent clochers. Au mois de décembre, les rues et les trottoirs y seraient déjà inaccessibles par endroits. Mais ici, dans la chaleur de la métropole britannique, les flocons tombent et fondent dès qu'ils touchent le sol. Pressée par le temps, Ray court jusqu'à la vieille librairie du quartier français pour y terminer ses achats de cadeaux de Noël. À l'intérieur, des douzaines de petites étagères en bois clair disparaissent sous les livres. Deux jeunes filles regardent distraitement une revue tout en faisant de l'œil au vendeur, debout derrière son comptoir. Ray se dirige d'un pas assuré vers la section de littérature française, sort une liste et commence ses recherches.

— *Hi ! Can I help you ?* lui demande avec courtoisie un homme à sa droite.

Ray se tourne pour se retrouver face au vendeur. Elle sent le regard des filles se poser sur elle et sur son dernier coup de cœur : des bottes de cuir italiennes montant aux genoux. Ray se sait particulièrement rayonnante, spécialement habillée pour la soirée, sa petite robe simple à demi cachée sous son trench-coat blanc cassé qui lui va comme un gant. Elle fête ce soir avec ses amies le nouvel emploi de responsable de collection de Sophie. Avec sa classe habituelle, Ray ramène d'un geste désinvolte mais bien calculé ses cheveux vers l'avant.

— *No, everything's fine, thanks. I'm just looking for a few books. Finalizing my Christmas gifts*, ajoute-t-elle.

— *You read French, I see ?* continue le jeune homme en désignant du regard *Le Comte de Monte-Cristo*, d'Alexandre Dumas.

— *Yes, my first language is French. I'm from Quebec.*

Le vendeur lui fait son plus beau sourire, sans se soucier du nouveau client qui vient d'entrer dans la librairie.

— *Yes, I could have said that…*

Il la regarde de la tête aux pieds. Ray sent une vague de dégoût la parcourir.

— *Let me guess, you're from Montreal! I've always wanted to visit Montreal, you know. You could show me…*

— *What?…*

Ray, ne sachant pas si elle doit rire de lui ou simplement l'ignorer, laisse sa phrase en suspens. Elle sent les jeunes filles s'agiter et devenir un peu plus fébriles derrière elle.

— *Excuse me*, lance une voix quelques rangées plus loin. *I'd like to take a look at the book up there, but I can't reach it!*

Le vendeur regarde Ray une dernière fois, lui fait un sourire gras et va aider l'homme qui lui demande de l'aide. Elle le regarde partir, soulagée, quand son regard croise celui de la personne qui vient de la sauver de cette situation délicate. Elle lui sourit avec gratitude et se retourne, pressée de trouver les livres qu'elle cherche pour pouvoir sortir de là et se rendre au restaurant où l'attendent les filles. Elle prend les livres à une vitesse record et se précipite à la caisse. Le vendeur la rejoint dans les secondes qui suivent.

— *I'm sorry we didn't finish our little chat…*

— *So am I*, le coupe Ray.

— *Hope we'll see each other soon.*

Il finit de faire la facture et Ray paie ses achats.

— *Yes, thanks, bye!*

Ray prend à peine le temps de ranger la pile de livres dans son sac et se dirige vers la sortie. Elle parcourt les quelques mètres et s'apprête à pousser la porte quand on l'intercepte.

— *Wait! You forgot one!*

Elle s'arrête et se tourne, soulagée d'entendre la voix de son sauveur et non celle du vendeur.

— *Here's your book.*

Il lui tend un petit livre.

— *Thanks a lot!*

Elle lève les yeux vers l'homme qui s'est posté devant elle. Il la dépasse d'au moins une tête et a un look décontracté avec son blouson de cuir. Maladroitement, elle prend le livre et essaie de l'entasser avec tous les autres dans son sac.

— *Thanks.*

Elle baisse la voix pour que le commis ne l'entende pas.

— *And thank you for earlier.*

— *Don't worry, it's fine. I wouldn't let anyone alone with that guy.*

Son ton de voix diminue un peu à son tour.

— *He's a bit creepy, isn't he?*

— *Yes, he is...*

Elle regarde sa montre, voit l'heure qui avance et lève encore les yeux vers l'homme. Il semble avoir compris son empressement, la contourne pour aller lui ouvrir la porte. Elle le suit, heureuse de quitter l'ambiance lourde de cette boutique. En sortant, elle jette un coup d'œil par-dessus son épaule et voit les deux filles et le vendeur qui les regardent, bouche bée.

Une fois à l'extérieur de la boutique, l'homme se tourne vers elle. Les flocons tombent, de plus en plus touffus. Il lui lance un « *Cheers!* » avant de fermer son blouson et de lui tourner le dos.

C'est seulement une fois devant le petit bistro italien qu'elle se rend compte qu'elle ne se souvient plus du tout de sa réponse au Grand Brun. Ni de son trajet jusqu'au restaurant. Elle se souvient par contre avoir pensé qu'il était un peu fou de se promener avec seulement un manteau de cuir dans la neige, un soir de décembre. Elle ouvre la porte, entre et trouve les filles, impatientes, assises à une table du fond, une bouteille de vin rouge déjà bien entamée...

Les filles commandent et trinquent à la promotion de Sophie. Ray ne peut s'empêcher de leur déballer l'histoire.

— Tu parles d'un colon! s'exclame Sophie entre deux bouchées de fettucines.

— *I've always wanted to visit Montreal, you could show me...* imite Lily avec une voix digne d'une ligne de téléphone érotique.

Elle prend une gorgée de vin avant de continuer:

— Si j'ai bien compris, y a plus aucune de nous qui va là toute seule, sauf s'il y a un Grand Brun dans les parages? se moque-t-elle en regardant Ray.

— Ha ha. T'es tellement drôle, répond cette dernière, sarcastique.

— Attends, tu as oublié ton livre!

Sophie se lance dans une grandiose imitation de l'homme qui, selon son interprétation, lui court après au ralenti avec, à la main, le livre si précieux. Lily et Ray éclatent d'un rire qui est tout sauf discret. Lily ne peut s'empêcher d'applaudir la prestation. Elles continuent de manger tranquillement en parlant de tout et de rien. Le serveur revient remplir leurs verres d'eau, les regarde avec un grand sourire et repart en silence.

— Il doit se dire qu'on est pas bien, dit Lily, habituée aux commentaires que provoque habituellement leur apparition dans un restaurant.

— Ou qu'on est trois jeunes femmes francophones, indépendantes, dans un restaurant, à avoir du fun... avance Ray. S'ils sont pas contents...

Un moment plus tard, Lily sourit au serveur pour lui signifier qu'elle voudrait l'addition. Cependant, l'homme qui les sert ne semble pas comprendre et ne fait que lui retourner ses sourires.

— Ben voyons, il pense quoi, lui? Que je lui souris pour sa belle face? se questionne tout haut Lily. Heille, tu nous as toujours pas montré tes achats, toi? demande-t-elle finalement à Ray.

Celle-ci leur montre les livres qu'elle a achetés pour ses parents et s'arrête un instant, le regard rivé au fond de son sac.

— Quoi? s'impatiente Lily.

— Le livre!

— Quel livre? demande Sophie.

— LE livre !

— Celui du Grand Brun ?

— Oui !

— Quoi ? s'impatiente encore plus Lily.

— Je l'ai pas acheté.

— QUOI ? s'écrient en chœur les deux amies.

— JE L'AI PAS ACHETÉ ! s'exclame Ray en criant presque, ignorant les regards soucieux du couple à la table d'à côté.

— Pourquoi il te l'a donné, d'abord ?

Sophie semble dépassée par sa propre question.

— Je sais pas.

Ray regarde ses deux amies, le livre dans les mains, ne sachant pas quoi faire.

— Montre.

Ray prend quelques secondes avant de réagir. Elle pose le livre sur la table et les deux autres femmes prennent le temps de déposer leur coupe de vin pour l'observer.

— *Le Petit Prince* ? lit la rouquine, sceptique, en haussant les sourcils.

— Pourquoi il t'aurait donné ce livre-là ? demande Sophie.

— Peut-être qu'il l'a volé ! explique Lily. Pis qu'y a de la drogue dedans… Il se sert de toi pour passer de la dope. C'est ça, les Grands Bruns, il faut toujours faire attention ! termine-t-elle, exagérément tragique.

— Arrête donc ! dit fébrilement Ray en commençant à feuilleter le livre. Pourquoi il m'aurait donné un livre ?

— Là ! crie Lily. Juste là !

Elle pointe frénétiquement le livre en faisant dangereusement tanguer sa coupe de vin.

— Là où ?

— La dernière page ! La dernière page ! J'ai vu quelque chose !

— Lily, y a pas de dope.

— Je sais ben ! C'est pas ça que j'ai vu, non plus !

Ray se rend à la dernière page du livre, les mains tremblantes. Sophie et Lily s'accrochent à la table, penchées sur le petit livre. Ray lit à voix haute :

— 020 8256 5835, Ben.

— Ben ? répète Sophie.

— Ben, approuve Ray sérieusement.

— Bennn… continue Lily en acquiesçant de la tête, un sourire charognard aux lèvres. Ben… c'est le diminutif de quoi, d'après vous ? Benoît ? Benjamin ?

— Euh, c'est peut-être juste Ben, tout court ?

— Les chiffres, là, c'est son numéro de téléphone ?

— Ç'a l'air que oui.

— Il a acheté le livre pour te laisser son numéro de téléphone dedans ? Oooh, c'est donc ben cute !

Ray et Lily tournent leur regard vers Sophie, qui hausse tout simplement les épaules.

— Avouez que *Le Petit Prince*, c'est original…

« Emmenez-moi au pays des merveilles »

En débarquant du train, trois voix aussi fausses l'une que l'autre chantent haut et fort, dans l'air chaud du sud de la France, du Aznavour.

— *How can I loooove you !*

Au bout du quai, les parents de Ray secouent la tête d'un air contrit. Depuis leur récent déménagement en France, ils n'avaient pas revu leur fille et ses deux amies.

Après maintes embrassades et salutations, les trois jeunes femmes prennent place dans la Mini décapotable rouge qu'affectionne particulièrement la mère de Ray. Ils empruntent une route longeant la mer Méditerranée qui, de loin, se confond avec le ciel tout aussi bleu. La voiture s'immobilise devant une petite maison située dans un village aux abords de Marseille.

— Désolé pour le manque de place, on n'a pas une chambre pour chacune de vous, dit le père de Ray en déposant les bagages dans le salon de la maisonnette.

— C'est parfait comme ça, monsieur R.

— Qu'est-ce que vous pensez faire pendant vos vacances ?

— Boire et dormir !

You Know my Name (Look up the Number)

Sophie et Ray, déjà confortablement installées sur le minuscule balcon du cottage, attendent Lily et Mme R., qui sont en pleine préparation d'une sangria. Elles peuvent entendre les deux femmes papoter joyeusement à propos de l'audition de Lily qui, elle, triple la dose d'alcool prescrite dans la recette spéciale de la mère de Ray.

— Ah ! Félicitations ! Je suis tellement contente ! se réjouit Mme R. lorsqu'elle franchit la porte du balcon en compagnie de Lily. C'est quand, ton spectacle ? Je vais venir te voir.

— On t'emmènera à la belle librairie française. On se fait souvent accoster, là. Hein, Ray ? dit Lily en s'assoyant à côté de son amie sur une chaise longue, deux coupes à la main.

— Non, répond la blonde.

— Ben oui, Ray, insiste Lily avec un grand sourire.

— Non, non.

— Oui, Ray. Oui, affirme Sophie.

*

— Pis c'est au restaurant qu'on s'est rendu compte que le gars avait laissé son numéro de téléphone dans le livre !

— Quoi ? Pas dans le livre ? s'étonne la mère de Ray, pendue aux lèvres des jeunes femmes.

— Oui ! Dans le livre !

— C'était quoi le livre, déjà ?

— *Le Petit Prince*, maman ! *Le Petit Prince* ! répète Ray, qui ne semble pas en revenir.

— C'est son prince à elle !
— Ta gueule, Sophie.
— OK…
— Faque là, tu l'as rappelé ?
— Ben non ! Voyons ! Maman ! Tu veux pas me laisser partir du Québec, mais tu veux que je rappelle un pur inconnu ?
— Attends. Les filles, est-ce qu'il était *cute* ?
— On le sait même pas, on l'a pas vu ! répond Sophie d'un air misérable.
— Bon, raison de plus, faut y demander s'il est *cute* !
— Vous avez ben raison, madame R., approuve Lily en ajustant ses énormes lunettes de soleil.
— Mais j'me souviens plus du numéro, pis j'ai pas apporté le livre !
— Attends ! Je l'ai dans ma sacoche !
— Quoi ? s'exclament Ray, Lily et Mme R. en chœur. Le livre ?
— Non, le numéro. Je l'ai pris en note un peu partout pour pas que Ray ait de raison de… Bref, tout le monde a compris, marmonne Sophie avant de leur tendre un bout de papier.
Le père de Ray passe la tête par la porte patio.
— Les filles ?
— Quoi, papa ?
— Vous êtes rendues à combien de verres… ?
— Je sais plus. Si on compte quatre verres par bouteille, pis qu'on a bu quatre bouteilles, donc… Quatre fois quatre, donc seize verres. Divisé par quatre filles, ça fait quatre verres chacune ?
— Donc, une bouteille chacune ?
— Madame R., vous avez oublié de compter les bouteilles de ce matin !
— Ça compte pas, chuttttt…
— Ah ! Je m'ennuyais, maman !
— Heille !
— Quoi ?
— On l'a pas encore appelé !

Le père de Ray rentre dans la maison en soupirant, laissant les femmes sur la terrasse, au soleil, là où l'alcool plombe davantage qu'à l'intérieur. Les quatre femmes se regroupent, ankylosées par l'immobilité de leur avant-midi, autour du cellulaire que Lily s'est donné le droit de prendre dans la sacoche de Ray. Sophie compose le numéro de téléphone puis raccroche immédiatement.

— Il faut que tu saches quoi dire !

— OK, qu'est-ce que je dis ?

— Attends, je vais l'écrire ! propose Lily en s'emparant d'un bout de papier et d'un crayon qui traînent sur la table de la terrasse.

— Euh, salut ? Euh, non, *hi !*

— Ben oui ! Faut que ce soit en anglais ! s'exclame la mère de Ray.

— *Hi, I'm Ray... You know, the girl...*

— *Not so fast, Ray !* intervient Lily, qui tente d'écrire malgré son état d'ébriété avancée.

— Ah laisse faire, je suis assez bonne pour m'en rappeler.

— Oui Ray, t'es bonne !

Ray recompose avec maladresse le numéro et tient le combiné sur son oreille. Tout à coup, elle pâlit.

— Quoi ? Quoi ?

— C'est sa boîte vocale, murmure Ray, comme si sa voix s'enregistrait déjà. Qu'est-ce que je fais ?

— Euh, improvise ?

— *Hi ! It's me...*

Ray levels up

Au retour des vacances de Noël, Ray s'installe au petit bureau du journal où elle travaille depuis son arrivée à Londres. Fait de quelques planches de bois assemblées de façon approximative, il se trouve au fond de l'étage qu'occupe le journal. Elle allume l'ordinateur, va chercher un café et commence à trier les courriels envoyés à l'entreprise.

Plainte, scoop, plainte, plainte, spam, informateur, spam…

Après avoir fini le tri informatique, elle se dirige à la droite du bureau afin de commencer le classement du courrier postal. À côté des lettres, Ray aperçoit une pile d'articles. Sur le dessus de la pile est collée une note où elle peut lire « *For 2 p.m.* ». Au même moment, son patron passe en coup de vent à côté d'elle.

— *… and I'll probably have dinner with…*

Il arrête de parler au téléphone et l'observe prendre les articles.

— *You're the new proofreader, right?*

Ray laisse tomber la pile et se retourne, ne croyant pas qu'il s'adresse à elle.

— *I don't think I officially am a proofreader, but I'm the one who edited the articles before Christmas…*

— *Oh, I appreciated your work, really.*

Il est un peu trop sec pour être vraiment sincère. Il reprend, un sourire tordu sur les lèvres :

— *I would have given you that work before if I'd known you were able to write a complete sentence in English*, souligne-t-il, ridiculisant la langue maternelle de Ray.

Il claque la langue, fier de sa phrase. Ray sait, pour l'avoir entendu à plusieurs reprises de ses collègues, qu'il est considéré comme un véritable tyran. Il désigne du bout de son téléphone la pile d'articles sur le chariot.

— *You're the new proofreader… until we find someone else.*

Son ton autoritaire cloue Ray sur place. Il s'apprête à reprendre sa marche, mais il s'arrête et reprend :

— *Oh, and since you can write, I also need a nine-hundred-word column about economics.*

Ray le fixe, surprise d'une telle demande après les idioties qu'il vient de lui sortir. Son patron interprète mal ce regard :

— *Anything about economics*, ajoute-t-il, certain que personne ne lira ce texte de toute façon.

Ray est encore sous le choc tandis que son supérieur reprend sa conversation téléphonique et son trajet à travers la boîte. C'est à peine si la grande blonde entend une jeune chef de pupitre se rapprocher d'elle.

— *He's testing you.*

Ray se tourne vers sa collègue.

— *Pardon me?*

— *He's going to give you an impossible amount of work until you give up or until he decides to promote you. You're on the right track.*

La jeune femme lui fait un petit clin d'œil avant de montrer du menton la pile d'articles.

— *You should get started right now, or you won't be out of here until very late tonight!*

27 mai

L'ascenseur s'ouvre au quatrième étage pour laisser sortir Ray, Lily et un porte-bagages sur lequel Sophie est confortablement assise. De retour dans la suite, elle enfile un peignoir et se saisit de ses sous-vêtements nuptiaux, fébrile de commencer ses préparatifs. Ses deux amies échangent un long regard suspect.

— Sophie, reste ici, on va chercher ton cadeau de mariage!

— Tu veux que j'aille où, habillée comme ça? répond la brunette avec sarcasme, ses sous-vêtements raffinés à la main.

Ray et Lily sortent en courant de la suite pour y rentrer immédiatement avec un homme en complet de soirée à leurs côtés.

— Euh, c'est qui? demande Sophie.

— Ton majordome.

— Un majordome? C'est ça, mon cadeau? Y avait plus de pompiers disponibles?

— Le pompier sera pas payé pour remplir constamment ton verre pendant que tu seras occupée avec la maquilleuse et la coiffeuse.

— Mon verre ou vos verres ?

— N'importe lesquels, dit Ray en poussant Sophie derrière le paravent.

Puis, en levant deux doigts, elle indique au majordome de verser une double dose d'alcool pour Sophie.

The Ballad of John and Y... Ben and Ray

— Pourquoi la vraie vie, c'est jamais facile comme dans les films ? La rencontre, le coup de foudre, direction la chambre à coucher, ils vécurent heureux et eurent beaucoup d'enfants !

— Ray, tu veux pas d'enfants, lui rappelle Lily.

La brune et la rousse regardent leur amie en essayant toutes les deux de retenir un fou rire. Ray a laissé un message à Ben durant les vacances et il l'a rappelée. Un « je connais un super resto » suivi d'un « finalement, je peux pas ce soir-là, je travaille », auxquels avait succédé un « mais j'ai des billets pour une pièce un autre soir » pour finir en « je les ai donnés à mon frère pour sa fête, mais si ça te dit, je connais un pas pire musée... ».

— Un musée, câlisse ! Un musée !

— Mais c'est très bien, un musée ! s'étouffe Sophie entre deux hoquets de rire.

— Ouais, mais pas le Tate ! C'est tellement laid ! T'impressionnes pas une fille en l'emmenant là-bas pour un premier rendez-vous.

— J'avoue que le Tate... commence Sophie.

— Arrêtez, là ! Oui, c'est vraiment laid, mais juste de l'extérieur. Ça va simplement te faire paraître mieux. C'est quand même un des musées d'art contemporain les plus connus au monde... Arrête d'ajuster ta chemise, t'es très bien comme ça. Tu peux pas être mieux habillée !

Lily appuie sa tête sur ses mains et regarde avec satisfaction son amie. Ray fait les cent pas dans le salon dans son jeans et sa chemise cintrée. Ses longues bottes de cuir italiennes sont indispensables en ce moment pour lui donner confiance.

— Allez, courage ! T'es belle, t'es fine, t'es capable. Pis y faut pas que tu sois en retard !

— Ouin, ça serait le boutte, soupire Ray en prenant son grand foulard noir et son trench-coat blanc cassé.

Arrivée au point de rendez-vous, l'entrée du Tate Modern Museum, Ray s'énerve. Elle fouille dans son sac, sort son cellulaire, le range, replace maladroitement son manteau et tourne sur elle-même pour être sûre que le Grand Brun, Ben de son prénom, n'est pas arrivé. L'entrée du musée est immense et laisse entrer beaucoup de lumière. Elle sent une main se poser sur le haut de son dos.

— *Hey ! Hi !*

Il est là, aussi grand et aussi brun que dans son souvenir. Elle lui répond un timide « *Hi !* », surprise par son apparition soudaine. Il commence par s'excuser.

— *I'm really wondering what kind of guy you think I am. I mean, I don't usually give my phone number to a girl I barely know...*

— *And I don't usually call guys who give me their number*, lui répond Ray, reprenant un peu de son aplomb.

— *So, uh... why did you decide to call me, then ?*

Dans son regard, elle peut lire un fond de témérité. Il lui sourit.

— *For the same reason you may have given me your number.*

Ray lui fait le même sourire.

— *Oh, I don't think you should trust my reasons...*

Ben laisse sa phrase en suspens. Son sourire devient moqueur.

Ray n'a pas besoin de dire un seul mot. Elle lève son sac et le montre à l'homme. En grosses lettres blanches, on peut y lire : *Don't Trust Me. I'm an Economist.* Il éclate d'un rire franc.

— *Oh, an economist ! That bad ?*

Tout en parlant, il la prend par le bras et se dirige tranquillement, à travers l'entrée vitrée, vers les escaliers pour monter à l'exposition.

— *Actually, I'm not an economist. I've studied economics to become a journalist.*

En haut de l'escalier roulant, ils se dirigent vers la porte, que Ben ouvre pour laisser entrer Ray dans la première salle.

*

Les deux femmes s'activent dans la cuisine aux derniers préparatifs de leur petit souper. Tandis que Sophie se débat avec le tire-bouchon, Lily répond au téléphone qui sonne depuis quelques instants.

— Allô ?

— Lily ?

— Ray ! Comment ça se passe ? Tu vas bien ? Qu'est-ce que vous faites ? demande Lily, soudainement intéressée.

— Là, j'suis dans les toilettes du resto…

— Il t'a invitée au resto ? Pis ?

— Ça va bien. On est sortis du musée, on a décidé d'aller manger un morceau tout près, dans un pub sur le bord de la Tamise. Je voulais juste vous dire qu'il va venir avec moi quand je vais aller vous retrouver au 2 Floors ce soir.

— Pour vrai ? Il va déjà nous rencontrer ? répond Lily en parlant davantage à Sophie qu'à Ray.

— Ça va vite en affaires, commente Sophie.

— Oui, je l'ai invité… Je me sens tellement conne, il me fait trop d'effet ! Pis j'ai pas l'impression de lui en faire, à lui, alors…

— Avec qui t'es assise au resto ? Avec lui ! Pis avec qui tu viens nous rejoindre ce soir ? continue Lily. Avec lui ! s'exclame-t-elle en chœur avec Sophie, qui lève la bouteille de vin avec enthousiasme.

— Sophie ?

— Oui, elle est avec moi. Tu pensais que j'allais manger toute seule parce que t'es pas là ? la nargue Lily.

— Quoi ? En tout cas… il m'a invitée, ou plutôt, je me suis invitée pour qu'on se voie encore. Cette semaine, il m'amène dans un pub…

— Écoute, il est intéressé, OK ? Je suis sûre qu'il est intéressé. Sinon, il voudrait pas te revoir, il s'inventerait des excuses, comme n'importe qui !

— Mais, c'est tellement *friendly* notre affaire, et en plus, toutes les femmes le regardent, pis même la serveuse a replacé son décolleté. Je sais pas si… Je sais pas si je suis à la hauteur…

— OK, premièrement, si elle replace son décolleté, tu fais pareil. Deuxièmement, il est assis avec toi, pas avec les autres pitounes de la place. Et troisièmement, toi, tu vas le revoir.

— Merci Lily…

— Ça me fait plaisir, ma grande !

*

La porte du 2 Floors s'ouvre sur une grande blonde qui balaie quelques flocons de neige sur ses épaules. Elle est suivie d'un homme brun qui la prend par la taille et lui dit quelque chose à l'oreille. Elle éclate de rire et se lève sur la pointe des pieds pour lui murmurer quelque chose à son tour. La blonde jette un coup d'œil dans la salle et aperçoit ses deux amies, assises comme à leur habitude à une table face au bar, chacune affichant un grand sourire. Ray prend Ben par le bras et le dirige à travers l'endroit.

— C'est clair que ça marche ! Ils sont juste trop beaux, ensemble.

— Une chance ! Tu l'aurais vue, toi, avec un gars plus petit, ou pire, avec un gars blond… ou roux ?

Les deux filles se regardent avec une grimace.

— T'as raison. Mais avoue qu'ils sont *cute* !

— Ouin… ils sont pas pires, répond Lily, malicieuse, bras croisés sur la poitrine.

Lily se tourne vers Ben et lui sourit. Sophie se présente la première. Ils commandent leurs verres, s'installent et discutent un peu avant de se faire interrompre par un homme blond qui leur demande une cigarette en pointant le paquet sur la table, entre Ben et Ray. Il observe Ray pendant quelques secondes tandis que Ben lui tend une clope, puis aperçoit ce dernier qui le dévisage et resserre son bras autour des épaules de Ray. Les trois femmes, ayant remarqué le geste, échangent un regard et continuent à bavarder comme si rien ne s'était passé.

Plus la soirée avance, plus la conversation est irrégulière. Lily se fait discrète alors que Sophie, très à l'aise avec le Grand Brun, parle culture, travail et bouffe. Ray annonce que Ben fait du théâtre, puis l'homme se lance sur un sujet à propos duquel son opinion diffère franchement de celle de Lily. Le ton de la conversation monte et, voyant que les choses ne vont pas en s'améliorant, Ben demande à Ray si elle veut un autre verre et se lève pour aller chercher leur deuxième commande.

— Faque… Vous le trouvez comment ?

— Je l'adore ! Je veux dire, c'est pas mon genre, mais vraiment, vous allez bien ensemble, pis je me dis que si ça fonctionne, tu dev…

— Toi, Lily ? demande Ray en interrompant Sophie.

Lily lève les sourcils et appuie ses coudes sur la table. Elle indique du menton Ben qui commande au comptoir. Deux filles à côté de lui attendent qu'il les remarque. L'une d'elles se décide à lui parler, le trouvant de toute évidence de son goût. Elle lui chuchote à l'oreille et s'accroche à son épaule. Il se dégage doucement, lui servant quand même son plus beau sourire, et discute un moment avec elle avant de se retourner vers le barman.

— Tu m'avais pas dit qu'il était comme ça, au téléphone.

— Comme quoi ? Je t'ai dit que beaucoup de femmes lui faisaient le grand jeu !

— Non, pas les filles, lui. Le gars de tantôt nous a regardées à peine quelques secondes et il a marqué son territoire…

— Mais c'est un truc d'hommes, ça, c'est normal ! se défend Sophie.

— Le problème, c'est qu'il a l'air de beaucoup apprécier d'avoir l'attention sur lui mais qu'il accepte pas qu'un homme te regarde.

— Tu dis n'importe quoi ! Les filles le trouvent juste ben beau, *that's it* ! C'est normal qu'il les envoie pas chier. Et pour l'autre truc, Sophie a raison : une question de territoire, ou quelque chose comme ça…

— En tout cas, moi, il y a quelque chose qui me revient pas chez lui. Et puis, j'aime pas la façon dont il te regarde.

— Eh bien moi, je l'aime, la façon dont il me regarde !

— Les filles, arrêtez ! Il revient…

With a Child's Heart

Accoudée au comptoir d'un restaurant de *fish and chips,* Lily prend le temps de respirer et de détendre la tension dans ses épaules. Machinalement, elle sort son agenda et balaie son horaire des yeux. Depuis leur retour du sud de la France, elle jongle entre les répétitions de la commedia dell'arte et ses deux emplois, au théâtre et au bar. Elle préfère de loin travailler au bar plutôt que passer des heures à attendre au vestiaire du théâtre et donner des programmes en souriant. Au bar, elle passe ses soirées avec Robin à écouter de la musique ou les spectacles qu'on y donne. Elle garde son boulot au théâtre parce qu'il entre dans son emploi du temps, aussi chargé soit-il, et lui permet, mine de rien, de se faire un début de réseautage artistique afin de faire avancer sa carrière.

Lily regarde son horaire et les différentes couleurs qui organisent ses projets. Elle est parfaitement consciente de ne pas pouvoir vivre de la scène en ce moment. De toute façon, elle ne pense pas qu'un seul travail puisse suffire. Elle a besoin de mener plusieurs projets de front pour ne pas s'ennuyer.

Elle range son agenda et regarde sa montre en s'impatientant devant le comptoir du restaurant. Une fois son souper en main, elle repart en flèche afin de ne pas être en retard pour son quart de travail au bar.

Don't Pass Me By

— *Hello ?*

— Allô ! C'est moi ! Je sors de ma répète pour la *commedia*, je me demandais si tu étais libre pour manger, ce midi…

— Non, désolée, je peux pas. J'ai prévu dîner avec Ben.

— Encore ? Tu commences déjà à nous rejeter ?

— Ouais, dit-elle, sachant très bien que son amie exagère. Je pense qu'on est amis, lui et moi, en fin de compte, reprend-elle plus sérieusement.

— … Tant mieux ? risque Lily.

— Ouais, tant mieux, répond Ray, hésitante.

— Là, tu fais quoi ? T'es en train d'écrire un article ?

— Ouais, c'est un pas pire début. Au moins, j'ai ça qui fonctionne dans ma vie. Tu sais pas le compliment que mon patron m'a fait hier ?

— Quoi, quoi ?

— Il a dit que j'avais une écriture tranchante. « *Sharp* », avec le plus gros accent snob que tu peux imaginer.

— Si c'est un compliment, prends-le ! *You're sharp, honey !*

Sophie a l'impression que sa tête va exploser. Depuis près de deux semaines, elle dort à peine quatre heures par nuit afin de boucler l'exposition dont elle est responsable. Promotion égale responsabilités, qui égalent moins d'heures de sommeil. L'exposition spéciale du musée sur l'art préhistorique américain ouvre ses portes aujourd'hui. Sophie n'a dormi que deux heures cette nuit. Le café noir a été nécessaire, trois fois plutôt qu'une, malgré son horrible goût typiquement anglais.

Après dix minutes d'immobilité dans le trafic londonien, elle se demande si elle a bien fait de prendre un taxi ce matin. Une directrice de projet qui arrive en retard ne fait pas bonne impression. Et encore moins une directrice qui sort en sueur de l'Underground.

Si elle se fie à l'horloge de la voiture, elle a déjà cinq minutes de retard. Sophie paie rapidement le chauffeur avant de sortir du taxi au milieu de la circulation et de se diriger vers le musée au pas de course. À l'intérieur, ses escarpins claquent sur le parquet et font se retourner les employés déjà à leur poste. Les portes vont s'ouvrir d'une minute à l'autre. En tournant l'angle du couloir, Sophie remarque que son patron l'attend de pied ferme devant son bureau. « Merde ! » Il va la réprimander pour son retard. « Comme si j'avais juste ça à faire ! » La brunette décide de prendre les devants afin de ne pas gaspiller de précieuses minutes en explications inutiles.

— *Sorry I'm late. It won't happen again.*

— *Yes, I do hope so.*

Son patron ne la laisse pas entrer dans son bureau pour autant. Il la regarde d'un air étrange, comme s'il avait un service à lui demander. Sophie prie pour qu'il ne lui demande pas de faire une déclaration publique ; elle n'a vraiment pas la tête à prononcer un discours.

— *I know that you've been very busy recently, but… we need your help.*

Son patron a l'air désespéré. Que peut-elle répondre à ça ? Il continue son explication : un groupe d'enfants vient passer l'avant-midi au musée, et comme cette visite a été organisée par le président d'une fondation affiliée au musée, lui-même issu d'une famille très en vue, il suivra le groupe. « Ce doit être cette famille qui me paie toutes les deux semaines… »

— *And because you know the exhibit like no one else, we thought you could do the visit…* termine-t-il, comme à contrecœur.

Sophie réfléchit aussi vite que possible. Elle est épuisée, une migraine s'annonce, elle n'a pas fini de remplir les dossiers qu'elle est censée avoir terminés depuis trois jours et elle devra être gentille tout l'avant-midi. Avec un sourire qui ne se veut pas forcé, elle répond :

— *Of course!*

— *You're saving us, Miss. For your information, the kids we welcome today are from the East End. They're… immigrants.*

Sophie reste bouche bée quelques secondes, outrée qu'un homme cultivé à ce point associe aussi spontanément pauvreté et immigration.

— *Also, you can go home after the visit, take the afternoon. You need it.*

— *Deserve it or need it?*

— *Need it.*

— *Thank you…*

Une fois seule, elle reste un moment dans le corridor, les bras levés au ciel, maudissant un quelconque dieu. Une fois de plus, son patron a réussi à la convaincre. Elle a encore préféré jouer la carte de la gentille Sophie plutôt que celle de la Sophie aux répliques ironiques.

— *Just kill me, please!* grogne-t-elle.

Quelques minutes plus tard, Sophie attend le groupe qu'elle doit accueillir dans le hall circulaire et lumineux du musée. « Difficiles à manquer ! Moi qui avais peur de ne pas les reconnaître... », se dit-elle au moment où une douzaine d'enfants surexcités font leur entrée. Ils ouvrent tous de grands yeux en levant la tête vers l'immense dôme vitré. La brunette ne peut s'empêcher de sourire en s'approchant d'eux. Elle décide de se présenter et de leur demander de se nommer, histoire de créer une ambiance détendue. Une fois devant le groupe immobilisé au milieu du hall, Sophie remarque l'accompagnateur : grand, roux, portant une veste par-dessus un polo dont on note tout de suite la qualité. Son visage lui dit quelque chose.

— *Good morning !* s'exclame-t-elle joyeusement. *My name is Sophie, and I will be your guide for today's visit of the British Museum. I would like you to introduce yourselves, so I can call you by your names. Who would like to start ?*

Une petite fille lève sa main et dit :

— *I'm Hannah.*

Sophie a à peine le temps de lui sourire qu'un garçon se nomme à son tour :

— *I'm Scott.*

— *Sénamé !*

— *And I'm Chantal !*

— *Kyle.*

— *Philippina.*

— *Samir !*

Elle est contente que son idée ait bien fonctionné. Il ne reste plus que la fillette qui tient la main de l'accompagnateur scolaire, de toute évidence la plus jeune et la plus timide. L'archéologue québécoise se rapproche de l'enfant et met un genou par terre pour être à sa hauteur. Elle est presque aussi gênée que la petite quand elle se rend compte de la proximité de sa tête et de l'entrejambe de l'homme. Elle s'efforce de ne rien laisser paraître. Elle tend la main à la petite et lui demande :

— *And you, sweetie, what's your name ?*

La fillette darde ses yeux bruns dans ceux de Sophie. Sa main droite est amenée par celle du grand rouquin à serrer la sienne.

— *Verghmmm...*

— *Sorry?*

— *Vergnimmm.*

— *I can't hear you*, dit Sophie à voix basse pour ne pas la vexer.

La petite répète son prénom, la main gauche toujours devant sa bouche et la tête rentrée dans ses épaules.

— *Verghnioooomm.*

La jeune femme hoche lentement la tête en levant des yeux suppliants vers l'accompagnateur.

— *Virginia*, dit-il chaleureusement.

Sophie presse doucement la main de la fillette et se relève, ébranlée par la voix grave de l'homme.

— *And I'm Henry.*

Debout, Sophie se retrouve face à un large sourire. Henry tend poliment la main en direction de l'archéologue qui, toujours remuée, lui serre la main à son tour. « *Oh my God*... Mais y a donc ben les mains rugueuses ! » Espérant ne pas être toute rouge, Sophie retourne devant le groupe.

— *We'll begin now. If you have any questions, ask me.*

Sur ce, elle tourne les talons, mais une première question brise son élan :

— *How old are you?*

Sophie est prise au dépourvu. Elle n'a aucune envie de répondre à l'enfant devant l'homme qui les accompagne. Mais elle sait d'expérience qu'un enfant déteste qu'on ne lui réponde pas. Elle décide de jouer le jeu :

— *I'm 25.*

— *Like my mother!* s'exclame une fillette. *Do you have any children?*

— Non !

Elle se rend compte qu'elle s'est exclamée un peu trop vite, et en français. Henry l'a remarqué aussi, mais les enfants continuent :

— *You don't want children ?*

— *I don't know… Not now.*

— *Are you married ?*

— Non !

« Qu'est-ce qu'ils ont tous à matin ? »

— *Hey, kids ! Don't you want to visit the big museum ?*

Sous les cris enthousiastes des écoliers, Sophie jette un regard de gratitude au rouquin, qui lui répond en souriant. Il doit lui aussi avoir eu droit à sa dose de questions.

*

À la fin de la visite, Sophie escorte le petit groupe dans le hall tout en se demandant comment faire pour rester en contact avec l'accompagnateur. Elle ne peut pas lui demander son numéro de téléphone ici, devant des enfants et tous ses collègues. Et puis, elle suppose bien qu'il doit être sollicité sans arrêt par la gent féminine au grand complet, tous âges confondus. Émergeant de ses réflexions, elle réalise que les enfants attendent devant la porte tandis qu'Henry est planté devant elle et la fixe du regard. Elle cligne des yeux, déboussolée. Il est vraiment très près. Elle arrête de respirer et se rend compte, une fois privée d'air, à quel point il sentait bon. Il pose une main sur son bras.

— *Would you like to join us for lunch ?*

Sophie se demande comment il s'y prend. Il est si charismatique ! Il lui proposerait de se jeter du haut de Big Ben qu'elle ne dirait peut-être pas non. Mais pour le moment, il ne fait que l'inviter à aller dîner avec treize enfants.

— *Where are you going?*

Il hésite et répond finalement, avec un air coupable :

— *McDonald's.*

Sophie ne sait pas si elle doit rire. Elle finit par se laisser tenter et c'est en hochant la tête qu'elle accepte l'invitation, précisant qu'il y a bien longtemps qu'elle est allée chez McDo. L'homme à l'accent charmeur semble tout de même surpris; il ne doit pas avoir l'habitude des filles qui mangent du fast-food.

« ***You… you know Benoît Archambault?*** »

Après quelques minutes de marche dans d'étroites rues pavées, Sophie commence à se sentir mal à l'aise sous les regards des passants. L'arrivée de Virginia, qui les prend Henry et elle par la main, la détend. Elle a plusieurs questions en réserve. Elle lève la tête vers Sophie et lui demande:

— *Do you know Henry?*

— *No, I don't.*

— *But Henry said a lot of people in England know him…*

Le rouquin est plutôt gêné que la fillette répète ces paroles prétentieuses.

— *He said that?* dit Sophie en riant. *Well, I don't know him personally*, tente-t-elle d'expliquer.

Le visage de Virginia s'illumine. Après quelques secondes, elle désire poser une autre question, mais elle fait sa timide. Sophie l'encourage et elle se lance enfin.

— *Do you think Henry is good looking?*

Sophie est prise au dépourvu et Henry semble assez amusé. La fillette se permet d'ajouter une explication quand elle voit que la « dame du musée » ne sait pas quoi répondre. En fait, la dame sait très bien quoi répondre, mais elle passerait pour une vraie folle si elle se mettait à hurler oui et à rire bêtement.

— *The other kids think his hair is weird. But I love it and they all make fun of me…*

La fillette a vraiment l'air peinée et Sophie comprend qu'elle cherche à se faire appuyer.

— *You know, I've always loved men with red hair*, lui répond-elle avec un clin d'œil, ce qui la fait sourire.

De son côté, le grand rouquin paraît désorienté, comme s'il hésitait entre la surprise, l'hilarité et la fierté. Sophie mesure alors la portée de ce qu'elle vient de dire. Elle n'osera plus le regarder en face maintenant qu'elle vient d'avouer à une fillette de sept ans qu'Henry est de son goût. Mais l'homme décide d'en rire et se joint à la conversation :

— *You've had ginger boyfriends?*

— *No, I've just realized that a lot of people I love or admire have red hair.*

« Oh, mon Dieu ! C'est tellement gênant ! »

— *They are mostly actors*, poursuit-elle. *Like Rupert Grint, Simon Pegg… Riise…*

— *The football player!* s'exclame Henry.

— *Yes! And… Van Gogh! Oh yes, and Kevin McKidd, but only dressed as a Roman. Oh, and Benoît Archambault, from Mes Aïeux!*

« Alors là, bravo ! Il doit vraiment savoir qui est Benoît de Mes Aïeux ! »

Henry acquiesce en souriant, puis décide de changer de sujet.

— *You're certainly not English…*

« Bravo, champion ! Tu veux une médaille ? »

— En effet…

— *You speak French!*

— *Yes*, acquiesce-t-elle, sourire en coin.

— *I studied French in school myself*, ajoute-t-il pour l'impressionner. *Are you Belgian, by any chance?*

Sophie ne peut s'empêcher de rire, elle qui croit son accent si reconnaissable. Mais peut-être n'est-il jamais allé au Québec ?

— *No, I'm French Canadian. Quebecer, in fact.*

Henry hoche la tête et la jeune femme prie pour éviter une discussion politique. Heureusement, les enfants viennent d'apercevoir un gros M jaune au coin de la rue.

La tâche à accomplir est ardue. Le rouquin semble sur le point de s'arracher les cheveux, « ce qui serait très dommage », pense Sophie. Commander à manger pour treize enfants dans un fast-food est un exercice pour lequel il n'a aucune expérience. Sophie a presque pitié de lui et se résout à l'aider. Elle sent monter en elle le sens des responsabilités et de l'organisation dont elle a fait preuve dans sa jeunesse, alors qu'elle avait à superviser les activités de sa famille. Elle tape doucement sur l'avant-bras d'Henry afin qu'il se taise et prend le relais :

— *OK, kids !*

Elle doit restreindre le choix, sinon ils n'y arriveront jamais.

— *Who wants a hamburger ? Raise your hands ! One, two, three... six, alright ! Who wants chicken nuggets ? Five. And who wants a chicken burger ? Two. Great !*

Elle écrit le tout sur une serviette de papier et prend aussi la commande d'Henry qui la regarde, impressionné. Fière de son effet, la Québécoise lui montre une partie de la salle à manger où se trouvent une quinzaine de places libres et se dirige, en roulant des hanches, vers le comptoir des commandes.

Durant le repas, ils ne parlent pas beaucoup entre eux. Ils s'amusent plutôt avec les enfants. Sophie se plaît à voir Henry blaguer avec les jeunes et se surprend à le trouver attendrissant. Elle est heureuse, car il y a longtemps qu'elle n'a pas lâché son fou en compagnie d'un homme. Le repas fini, ils sortent à l'extérieur, où un petit autobus attend les enfants et Henry pour les ramener à l'école.

— *Goodbye, kids !* dit-elle.

— *OK, everybody in the bus, please !*

Un grand sourire aux lèvres, elle observe les treize enfants grimper à bord. Son heure de dîner a été des plus distrayantes. Elle remarque qu'Henry n'est pas monté dans le véhicule et qu'il la fixe. Elle devrait se sentir flattée, mais une réticence sournoise s'installe dans son esprit. Il lui a demandé son numéro de téléphone un peu plus tôt. Il ne lui a pas donné le sien. Il s'approche et, alors que son visage n'est plus qu'à quelques centimètres, elle met ses mains à plat sur le torse du rouquin et le repousse doucement. Il la regarde, incrédule. Il ne doit pas y avoir beaucoup de filles qui résistent à son charme. Sophie se sent obligée de se justifier alors que tout son corps lui crie : « Laisse-le t'embrasser ! »

— *Sorry, I need to go, you have my number*, laisse-t-elle platement tomber avec un sourire amer.

Et, alors qu'elle se retourne et se met à marcher, une voix infâme lui dit qu'elle vient de passer à côté d'une des très belles choses qui pouvaient lui arriver en ce moment.

27 mai

Dans la suite, Lily et Ray sont déjà en train de choisir la prochaine bouteille de vin qu'elles vont demander au majordome d'ouvrir. Sophie les regarde une seconde, puis se dirige vers la grande armoire pour en extraire une gigantesque housse à vêtements. Pourquoi avoir opté pour un mariage aussi officiel ? Famille, parenté, amis, connaissances, gens d'affaires illustres, collègues de travail et, par respect de l'étiquette, certains membres de grandes familles d'Angleterre avaient reçu une invitation. « Pourquoi on ne s'est pas sauvés à Las Vegas ? » pense-t-elle en observant Ray et Lily éclater de rire devant le majordome qui se démène avec le tire-bouchon. Ils ne se sont pas enfuis parce que Sophie aurait trouvé son mariage bien fade loin de ses deux complices, qui tentent maintenant – verre à la main, au grand dam de la mariée – d'étaler l'immense sac sur le lit.

— Va vraiment falloir te mettre ça ? demande Lily.

— La robe fait cinq fois ton poids ! s'exclame Ray en s'étouffant avec son vin.

Lily lorgne brièvement sa coupe de vin et la robe blanche avant d'énoncer lentement:

— Ça serait pas drôle, hein, de faire un dégât…

— Non! s'écrie la brunette en se levant et en se plantant devant la robe.

— Calme-toi, dit Ray.

— J'ai faim, affirme Lily.

— Moi aussi, laisse échapper Sophie avec un petit sourire.

Ray et Lily échangent un long regard.

— Va prendre ta douche. On s'occupe de tout, tu t'occupes de rien.

La future mariée entre dans la salle de bain. Elle s'examine dans le miroir, toujours emmitouflée dans sa douillette robe de chambre. Elle se demande comment la maquilleuse réussira à cacher ses cernes et à lui donner un air frais et dispos lorsque son père la conduira à l'autel. Elle entreprend de brosser ses cheveux et d'enlever ses vêtements. De l'autre côté de la porte, la voix de Lily attire son attention. Sophie s'en approche et tend l'oreille:

— *… three, seven, nine…*

Le numéro de la carte de crédit de son futur mari. Levant les yeux au ciel, elle décide d'entrer dans la douche comme si elle n'avait rien entendu.

*

Tandis que Ray prend les plats sur le chariot de service, Lily donne un pourboire au garçon d'étage. Elle sursaute légèrement quand son regard se pose sur les mains de Ray:

— Heille! On n'a pas pensé à lui faire une manucure!

La grande blonde hausse les épaules.

— Toi, pour 10 livres, fais-tu ça, des manucures? lance Lily au jeune homme, qui ne comprend pas un traître mot.

Il croise le regard du majordome qui, bien qu'il n'ait rien compris lui non plus, en a déjà vu assez pour lui conseiller de ne rien accepter. Une fois la porte de la suite refermée, Sophie lance un avertissement de la salle de bain :

— Je sors ! Rangez vos niaiseries !

Elle pousse le battant et voit ses amies, immobiles devant sa robe suspendue au mur, souriantes, chacune avec un plat de saucisses en main. Retenant les blagues grivoises qui lui viennent en tête, la brunette les réprimande :

— Vous êtes connes.

— Ben quoi ? Du gras pour un lendemain de veille, c'est pas ça, la règle ?

Here Comes the Sun

— Oui allô ?

— Lily ?

— Allô, Ray ! Pourquoi tu m'appe...

Ray ne lui laisse pas finir sa phrase :

— J'AI EU UNE PROMOTION !

— Qu... quoi ? De quoi tu parles ?

— J'ai été promue. J'ai un nouveau poste !

— Wow ! Tu as su ça quand ?

— Ce matin en arrivant, mon patron est venu me voir. Il a ri de mes cheveux, mais après, il m'a dit qu'il avait besoin d'un texte de mille cinq cents mots sur l'actualité économique à l'international. Et avant de partir, il a fait : *Oh, by the way*, les mille cinq cents mots, c'est pour tous les jours à partir de maintenant que je les veux.

— Mais t'as une nouvelle job !

— Je sais ! J'ai une nouvelle job !

— On célébrera ça à l'appart, je suis sûre que je peux trouver un fond de bouteille dans le frigo. Je suis la première à le savoir, c'est ça ?

— En fait, non, j'ai appelé ma mère avant, mais t'es la deuxième ! J'ose pas appeler Sophie, elle travaille…

— Tu as appelé Ben ? demande Lily, un sourire dans la voix.

Devant le silence de son amie, elle répète.

— Tu as appelé Ben ?

— … J'ose pas.

Prévenant une réplique, Ray tente de se justifier.

— Je veux pas faire la fille trop collante. En fait, je veux pas lui donner l'impression qu'il est plus important pour moi que je le suis pour lui.

— Ben voyons, vous vous voyez, quoi, deux ou trois fois par semaine ? Cinéma, resto, café, musée… Pis ça, c'est sans compter les textos tous les jours… Je sais pas pourquoi tu t'empêcherais de l'appeler.

— Je prends ça pour un « vas-y, lance-toi pis pète-toi peut-être la gueule » ?

— Je pense que c'est à peu près ça, oui.

*

Ben avait promis de l'attendre à la sortie de l'immeuble du journal pour l'amener manger et célébrer son augmentation de salaire. Ils entrent dans la petite sandwicherie française que Ray apprécie tout particulièrement et s'installent, café et sandwich en main. Ils discutent de son premier article et Ben lui promet d'acheter le journal quand il sortira le lendemain. Elle lui sourit avant de prendre une énorme bouchée de son sandwich végétarien. Il la considère, un peu surpris. Il a toujours détesté les filles qui commandent de la salade au restaurant ou qui s'empêchent de manger devant lui. Ray éclate de rire. Elle s'essuie la bouche et lance, avant de prendre une autre bouchée :

— *That's how I seduce men.*

Il rit à son tour.

— *You seduce men by doing this ? Brilliant.*

Il fait mine de réfléchir quelques instants.

— I'm not surprised they're easily seduced, though. Women are a lot much harder to seduce.

Ray, la bouche pleine, lui lance un regard interrogateur.

— Yeah, you girls can be mean, poursuit-il.

Sans se départir de son sourire, il continue sur sa lancée, clairement prêt à rire d'elle jusqu'au bout.

— Even so, I'm sure my seduction technique is better than yours.

Ray s'accroche théâtralement à la table.

— OK then, seduce me.

S'attendant à ce qu'il lui sorte une blague ou une autre réplique cinglante, elle reste bouche bée lorsqu'il s'avance vers elle, les yeux rivés dans les siens.

— « *Being your slave, what should I do but tend / Upon the hours and times of your desire? / I have no precious time at all to spend / Nor services to do, till you require / Nor dare I chide the world-without-end hour / Whilst I, my sovereign, watch the clock for you / Nor think the bitterness of absence sour / When you have bid your servant once adieu.* »

Il la regarde encore dans les yeux. Elle est la première à briser le silence.

— Do you recite Shakespeare to every girl you meet?

— No, only to the ones I've played at the theater with… You're the first normal person.

— Normal? s'exclame Ray. *So, for you, I'm the definition of a normal person?*

— No! I meant you're not an actress.

Il reprend, le plus sérieusement du monde:

— Because you're everything but normal. You're somewhere between schizophrenic and bi-polar… I say that with love, finit-il avec un petit sourire qui lui fait plisser les yeux.

— Let's establish something, alright? I'm not bi-polar, I'm French Canadian. We over-emphasize things of no importance and we minimize things of rather high importance. It's humor. It colors what we say. And

I'm not schizophrenic, I'm a Gemini. There are many contradictory aspects to my personality; my horoscope says so.

— *I'm sorry, what? Did you just refer to your horoscope to make a point?*

Il jette un regard surpris sur la jeune femme, qui continue tout naturellement :

— *I always read my horoscope at the end of the day, so I can see if it was right or wrong about my day.*

— …

— *It's a joke*, réplique Ray, le visage dénué de toute émotion.

Ben hoche la tête, incertain, en finissant sa bouchée de sandwich.

— *What is it? You still think I'm crazy? You want to be my shrink?* lui demande-t-elle avec un sourire en coin. *I'm sure you would be good.*

— *You'd be surprised…*

Au moment de payer, il s'empare de la facture et se précipite au comptoir, refusant de risquer d'entendre Ray déblatérer sur l'égalité des sexes et sur le fait qu'elle pourrait très bien payer sa part elle-même. Elle le suit plutôt en riant et s'accroche instinctivement à son bras. Alors qu'il lui offre son plus beau sourire, la propriétaire du restaurant finit de conclure la transaction. Elle les regarde ensuite se diriger vers la porte et leur lance : « *Goodbye, lovers!* »

À l'extérieur, Ben laisse à peine le temps à Ray de faire quelques pas avant de passer son bras autour de sa taille et de la guider vers sa voiture.

« May the Force be with you »

On pourrait croire qu'elles sont de mauvaises amies, mais non. Elles n'ont tout simplement pas voulu braver la pluie pour les deux premières représentations, qui ont eu lieu la semaine dernière. En ce samedi partiellement ensoleillé, Ray et Sophie sont donc assises à proximité d'un grand chêne et assistent à l'échauffement des comédiens, qui consiste en une partie de tague. Les familles arrivent progressivement et certains passants s'arrêtent, curieux. L'échafaudage, monté pour l'occasion par l'équipe technique, sert de coulisses à ciel ouvert. L'heure approche; les comédiens se rassemblent près de la structure pour faire place à la foule qui grossit. Le metteur en scène annonce le début du spectacle. La musique retentit alors et Pantalone entre en scène avec sa démarche voûtée de vieillard. Quelques minutes plus tard, Arlequino fait son entrée à son tour sous les rires du public.

Ticket to Ride

Ray se souvient graduellement de sa nuit sans pour autant bouger, ce qui aurait tôt fait de la priver de la douce chaleur que dégage le corps de Ben contre le sien. Après le souper, il l'a ramenée à son appartement pour un dernier verre. Ils se sont embrassés toute la soirée. Elle a rencontré Oliver, son frère et colocataire. Elle a passé la nuit avec Ben.

Elle sort discrètement du lit pour se faufiler jusque dans la salle de bain, entre dans la douche et laisse l'eau chaude couler sur son dos. Elle reste quelques minutes immobile à tenter de décrypter les sentiments étranges qui la tenaillent. Elle appréhende le moment où elle devra retourner dans la chambre et lui dire qu'elle doit partir pour le travail. La façon qu'il a eue de lui présenter Oliver et l'aise avec laquelle il l'a amenée dans sa chambre la laissent perplexe. Elle lève la tête pour sentir l'eau sur son visage. Elle ferme le robinet, s'enroule dans une serviette et s'éponge avant de mettre son jeans. En passant la tête dans l'encolure de son chandail, elle entend la porte grincer. Redoutant la présence d'Oliver, elle finit d'enfiler son vêtement, dos à la porte, puis se retourne. Elle voit une paire d'yeux qui l'épient. Elle les reconnaîtrait entre mille… déjà.

— *Haven't you seen enough last night?* demande-t-elle en riant.

Ben pousse la porte et entre dans la salle de bain à son tour. Il porte seulement son caleçon. Il se dirige vers la blonde, lui ôte la serviette des mains, la tourne vers lui et l'embrasse.

— *Hi, you…* lui dit-il gentiment avant de se diriger vers la cabine, d'enlever son slip et de se glisser sous la douche.

Ray reste quelques secondes au milieu de la pièce, pantoise. Elle l'entend tourner les robinets et se mettre à fredonner. Son rapport nonchalant à la nudité contraste de façon étonnante avec la pudeur de la jeune femme. Elle se regarde dans le miroir, replace quelques mèches de ses cheveux mouillés et s'apprête à sortir quand il s'adresse à elle :

— *You know*, commence-t-il, sa voix portée en écho par la pièce, *I have a lot of work to do today. I'm seeing my new team for the play I told you about yesterday. I'll probably finish late.*

Ray baisse la tête un instant, puis la relève avant de prendre une grande inspiration. « Si c'est ça, son excuse pour ne plus me revoir… » Il ferme l'eau et sort. Elle l'observe prendre une serviette tandis qu'elle reste plantée là, les bras croisés. Il s'engouffre dans sa chambre pour aller s'habiller.

— *When do you finish work?* lance-t-il.

— *At four*, répond Ray en restant dans la salle de bain, pièce qu'elle considère comme un terrain neutre s'il continue sur sa lancée pour lui faire comprendre qu'elle n'a pas sa place dans son horaire.

Ben revient, le regard interrogateur. Il comprend, en la voyant, qu'il n'a pas été clair. Il se tient devant elle pour la regarder droit dans les yeux.

— I'm asking because I'm having dinner with my mates around 6 p.m. in a restaurant, in Southwark. It was set by the production so we could get to know each other. We can invite our… We can invite somebody. But I will understand if…

— Is that an invitation ? dit Ray, qui reprend le contrôle de son corps et de son sens de la répartie.

— An invitation ?… Yes, it is. I think it is.

Il lui fait un de ses merveilleux sourires en coin.

— Then I'll be pleased to go to that dinner… with you. I'll be your somebody.

Son ton dégage de la chaleur mais surtout du soulagement. Il s'approche, l'embrasse et appuie son front contre le sien avant de relever la tête. Il passe les bras autour de sa taille et, soudainement, la soulève de terre. Ray crie de surprise et s'accroche à son cou en riant. Elle se débat un peu tandis qu'il la transporte jusque dans sa chambre. D'un coup de pied, il ferme la porte derrière lui.

— Ben ! No ! I'm going to be late !

— I don't care !

*

— Allô ? Les filles ?

Ray entre dans l'appartement, dépose son sac et se rend à la cuisine.

— Les filles ? J'veux juste vous dire que ce soir, je vais s…

La blonde s'interrompt et regarde la table. Une première pile de vêtements y trône, faite d'un jeans, d'un chemisier et d'une paire de souliers noirs : un kit parfait pour le travail. La deuxième pile, elle, est composée d'une robe, d'un collant, d'une paire de bottes et d'un collier ; cet ensemble-là est parfait pour sa sortie du soir. Posée au-dessus des piles, une petite trousse monte la garde. Ray s'avance et ouvre le sac. Brosse à dents, brosse à cheveux, désodorisant, maquillage… Elle prend le tout maladroitement et tourne les talons.

— Je vous aime, les filles ! chantonne-t-elle à l'appartement vide.

310-1010

Un soupir de découragement, une porte de réfrigérateur qui se referme. Deux jeunes femmes qui se sourient, complices. Elles se dirigent vers le divan sur lequel leur amie est assise, portable sur les genoux. À la vitesse de sa frappe, on peut deviner qu'elle est en pleine vague d'inspiration. Sophie a une pensée pour le politicien que Ray doit être en train de détruire dans son article et demande :

— On se fait livrer une pizza ?

— Les filles, j'ai déjà mangé avec Ben… répond Ray sans lever les yeux de son écran.

— Tu le sais qu'on aime pas ça, appeler, se plaint Lily, son meilleur air tragique sur le visage.

Ray s'étire, attrape le téléphone sur la petite table, puis, toujours sans regarder ses amies, compose le numéro qu'elle connaît par cœur et demande inutilement :

— Bacon ?

Quand le livreur sonne, Sophie tend l'argent à Ray avec un sourire et laisse la blonde se lever pour aller répondre.

— *Hi ! Keep the change. Thank you.*

D'un coup de coude, Ray referme la porte et revient dans la cuisine, où elle laisse tomber la boîte de pizza sur le comptoir. Elle continue son chemin jusqu'au sofa.

— En veux-tu ? demande Lily en apportant la pizza dans le salon pour qu'elles puissent écouter la télé en mangeant.

— Non.

Ray continue de taper. L'odeur est tentante, la pizza a l'air bonne et le fromage est fondu à la perfection. Elle lève les yeux vers les filles, qui ont toutes deux la bouche pleine.

— Laisse-toi tenter par le côté obscur de la force, chuchote Lily en lui tendant la boîte.

— OK, d'abord.

La blonde ferme son écran d'ordinateur et se penche pour saisir une pointe.

— Comment va ton show ? demande Ray à Lily avant de mordre à pleines dents dans sa pizza.

— Je vous l'ai pas dit ?

— Non !

— Le show a été vu plusieurs fois par un directeur artistique qui a déposé le projet à son théâtre. Ils ont décidé d'acheter le show ! Pour cet automne !

« Le lion ne s'associe pas avec le cafard »

Il pleut à boire debout, c'est vendredi, il est 19 h 20 et Sophie travaille encore. Comble de malchance : son bureau est inondé depuis deux jours et la seule personne qui a voulu partager le sien avec elle est Garrett. Et il n'est toujours pas parti lui non plus.

— *Do you want to go out and eat something?*

Pour la troisième fois cette semaine, elle doit trouver une excuse pour décliner son invitation.

— *No, sorry. It's my turn to cook at the flat today: Italian day!*

« N'importe quoi ! » pense la brunette.

— *Well, OK... I understand. Maybe...*

Le téléphone sonne, sauvant Sophie. Garrett répond, puis passe le combiné à la jeune femme.

— *Hello?*

— *Yes, it's Brenda, at the reception. There's someone for you here.*

— *Is it Ray or Lily?*

La réceptionniste les connaît bien, car elles passent régulièrement ; ce n'est que par respect de la procédure qu'elle appelle pour signaler leur présence.

— *No. It's a man... a very handsome man*, dit la réceptionniste d'une voix chaude.

Sophie fronce les sourcils puis les hausse soudainement. « Se pourrait-il que... ? »

— *Well, tell him to come upstairs. Thanks, Brenda !*

Sophie renoue stratégiquement ses longues mèches noisette en un chignon décoiffé tout en se disant qu'elle ne devrait pas se créer d'attentes, car elle pourrait être déçue, même si un peu d'espoir n'a jamais fait de mal à personne.

Soudain, on cogne à la porte ouverte du bureau. Garrett, qui fait face à Sophie et par la même occasion à la porte, ouvre la bouche et la referme immédiatement. Sophie se retourne : Henry est là, grand et roux, dans toute sa splendeur, et dans une chemise bleue. Chic mais décontracté, à la manière de George Clooney, mais avec vingt ans de moins, s'il vous plaît. Il fait un signe de la main à la jeune femme. Celle-ci lui répond sans prendre la peine de quitter son siège :

— Bonsoir.

— *How are you ?*

— *Well, busy, but I'm good. Come on in !*

Elle se rappelle qu'ils ne sont pas seuls.

— Henry, Garrett. Garrett, Henry.

Les deux hommes se serrent la main. Henry regarde Garrett avec amusement tandis que le muséologue le dévisage, ahuri.

— Pourquoi t'es venu ici ? demande Sophie, jouant les désintéressées en faisant mine de se concentrer de nouveau sur ses dossiers.

Elle le questionne en français en espérant qu'il lui réponde dans la même langue, dont elle sait que son collègue n'a aucune notion.

— Je te veux... voir ! pour *an invitation* pour *dinner*, répond-il dans un français très approximatif.

— Oh. Eh bien… j'ai terminé !

Un petit mensonge bien innocent. Elle n'a pas vraiment terminé, mais elle peut demander à Garrett de finir pour elle. Avec deux beaux yeux bleus et un tailleur ajusté, les choses se font d'elles-mêmes.

— *Garrett ? I'm leaving with Henry. If you could finish the sixth report for me, it would be lovely*, minaude l'archéologue en se dirigeant vers la sortie tout en tentant d'oublier qu'elle abuse un peu de l'effet qu'elle a sur son collègue.

« So, do we split the bill or are we going to sleep together ? »

La sonnerie du téléphone retentit dans l'appartement. Lily se lève du fauteuil où elle écrivait dans son cahier depuis quelques heures.

— Tu sais pas quoi ? Henry m'invite à souper ce soir !

— Allô… *Nice !*

— À 8 heures. Pouvez-vous m'aider ? Genre, me préparer des vêtements, trouver des souliers, du maquillage, pis même avoir une petite idée de quoi faire avec mes cheveux, pour que ça aille plus vite ? demande Sophie, complètement paniquée.

— Euh, t'es où, là ?

— Là, je suis dans les toilettes du musée et il m'attend dans son char.

— Une Lamborghini ?

— Lily, on s'en fout ! Quand je vais arriver, faut que ça me prenne juste dix minutes, pour pas qu'il se tanne à m'attendre.

— Okidoo Ski-Doo ! À tantôt !

*

— OK ! J'ai dix minutes !

— Il voulait pas monter, à la place ?

— Je lui ai même pas proposé, des plans pour qu'il revienne plus jamais ! répond Sophie en tentant d'enlever ses chaussures, son manteau et son tailleur en même temps.

— Tout est dans la salle de bain !

— Merci ! crie Sophie en y courant.

Lily entre dans la pièce et sourit en voyant son amie, brosse à dents dans la bouche et brosse à cheveux dans la main gauche.

Elle prend la robe déposée sur le bord du bain pour la faire enfiler à la brunette qui se tient debout devant le miroir.

— Lève un pied… l'autre pied. Tu vas me la prêter, ta robe, si elle me fait, hein ?

— Ben oui, ben oui. Si elle te fait, réplique Sophie en réalisant distraitement qu'il s'agit de sa dernière acquisition : une robe coup-de-cœur blanche à bustier en dentelle noire.

— Ray ! Va chercher les souliers ! crie Lily en direction du couloir.

— J'arrive ! lance la blonde en approchant. J'avoue qu'habiller Sophie est beaucoup plus important que de finir l'article que je dois envoyer ce soir. Beaucoup plus important, ironise-t-elle en lui glissant aux pieds les fines chaussures noires à talons.

— Mets-en ! rétorque Sophie, qui s'est maquillée en une fraction de seconde. J'espère qu'y fait pas froid dans le resto, parce que c'est court pis que ça pas grand manches, c'te robe-là !

— Relaxe ! T'es toute prête !

— Meheu !

Lily et Ray haussent les sourcils. Sophie termine de se brosser les dents et reprend :

— Mes cheveux !

— Sont beaux de même…

— *You're dressed to kill*, Sophie !

— Merci !

La brunette revêt enfin son manteau et reprend ses clés avant d'ouvrir la porte. Les trois amies échangent un regard.

— Bon, j'y vais. Vous, vous restez ici.

— Pourquoi ?

— Parce que si j'ai besoin d'aide, je vous appelle !

— Voyons, t'as vingt-cinq ans, t'en as vu d'autres !

Après une grande inspiration et un mouvement brusque de la tête qui rabat tous ses cheveux derrière ses épaules, Sophie descend les escaliers, sort et s'engouffre dans la voiture de luxe qui l'attend.

*

La sonnerie retentit dans l'appartement.

— TÉLÉPHONE !!!! hurle la rouquine.

— Merci, Lily ! Au lieu de crier, t'aurais pas pu répondre ? réplique Ray en décrochant.

— *Yes ?*

— C'est moi !

— C'EST SOPHIE ! Pis ? Attends, attends, je te mets sur mains libres.

— Je capote ! On est dans un restaurant tellement chic, j'ai même pas les prix sur mon menu !

— Y a pas de prix ? murmure Ray, impressionnée. Mais pourquoi t'appelles si vous êtes encore au resto ?

— Je suis aux toilettes. Euh, je fais semblant d'être aux toilettes. Je veux que vous googliez le resto pour savoir si je vais le ruiner.

— OK, attends ! lance Lily. C'est quoi, le nom du restaurant ?

— The… The Doors ? répond Sophie, incertaine.

— Non, ça, c'est un groupe de musique, rétorque Lily d'une voix posée.

— Euh… je sais pas… Les murs sont beiges ?

— C'est pas très précis, ton truc, enchaîne Ray en se demandant quoi chercher.

— C'est à Mayfair, dans un hôtel avec un hall d'entrée super chic, comme dans les films. Dans le fond, le monde se croit un peu, si vous voulez mon avis. Je vais prendre une assiette de pâtes, c'est pas si cher, d'habitude...

— Bon choix. As-tu vu les desserts ? demande Lily.

— Non, mais inquiète-toi pas, il m'a dit de pas me gêner, alors je vais en prendre un aussi !

— C'est ça, assume-toi ! acquiesce la rousse.

— Sinon, le menu est en français, je pense que c'est un signe. Pis y a un genre de fontaine dans le milieu de la salle... Une grande chute de lumière...

— Une chute de lumière ? répète Lily, surprise.

— Je pense que j'ai trouvé ce qu'on cherche ! The Dorchester. Ils marquent pas les prix, mais ils parlent en masse du chef français, par exemple !

— Bon, je vais y retourner, sinon il va se poser des questions.

— Rappelle sur nos cellulaires pour nous rejoindre, on va passer la soirée avec Ben et son frère, répond Ray.

— Euh... toi aussi, Lily ?

— Ouais, je l'ai invitée ! C'est juste un souper entre amis, finit Ray, sournoise.

*

La brunette gratte consciencieusement tout le coulis de chocolat au fond de son assiette et porte sa fourchette à sa bouche.

— *You're funny, you know ?* dit l'homme assis devant elle.

Sophie sent le rouge lui monter aux joues, mais elle tente d'en faire abstraction.

— *Oh... Why ?*

— *Well, you didn't finish your main course but you engulfed the whole chocolate cake in two and a half seconds !* lui explique-t-il en s'esclaffant.

La jeune femme lui sourit malicieusement :

— *I hope we'll have dinner together again, and then you'll see that I do that all the time!*

« *Oh my God!* Je suis en train de le réinviter. » Pour toute réponse, le rouquin fait un signe discret au serveur pour lui signifier qu'ils ont terminé.

La chaleur de la voiture contraste avec le vent frisquet du mois de mars. Sophie ôte son foulard et le dépose près d'elle. Elle se cale confortablement dans le siège en cuir et admire l'aspect luxueux de l'intérieur complètement noir de l'habitacle. Elle se rend à peine compte que la voiture s'immobilise doucement devant son immeuble.

— *Well, I had a very nice evening. Thank you*, remercie-t-elle.

Elle regrette que la soirée soit déjà terminée, mais elle garde le silence.

— *So did I. May I call you tomorrow?*

Il reçoit un merveilleux sourire en retour.

— *Of course! Well... good night*, répond l'archéologue en ouvrant la portière.

Elle se retourne une dernière fois avant de sortir et se rend compte qu'Henry s'est rapproché d'elle. Elle doit lever un peu la tête pour le regarder dans les yeux tandis qu'il baisse la sienne.

— *Good night.*

Sa voix est soudainement rauque et Sophie ne réfléchit pas avant de l'embrasser. Le baiser qu'ils échangent est assez fougueux pour que la jeune femme se lance presque sans aucune gêne :

— *Would you like to come in?*

L'Attaque des Clones

Ray prend son manteau, empoigne celui de Lily et le lui lance.

— Arrête, il est super fin ! Pis y est drôle ! l'encourage Ray en la poussant vers la porte.

— Pourquoi tu veux me matcher ?

— Je te matche pas, je te fais rencontrer du nouveau monde ! C'est juste entre amis.

— *I don't trust you, you're an economist !*

— *But I'm your friend too !*

— *You're my economist friend.* Ça change tout, rétorque Lily, de moins en moins convaincue.

*

Tout au long du souper organisé par Ray et Ben, les quatre jeunes gens discutent de tout et de rien. L'appartement des deux frères est petit mais l'ambiance est chaleureuse. Le vin est bon et Ben a surpris l'assemblée en cuisinant autre chose que des *grilled cheese*. Les deux hommes se ressemblent beaucoup. Tous deux rient et parlent fort, ont la discussion facile et mettent les gens rapidement à l'aise.

— *We're the hosts, so please stay there. We'll come back with the dessert*, lance Ben en desservant la table avec Oliver.

Les hommes sortent de la salle à manger, laissant les deux Québécoises seules, encore souriantes. Ray se tourne vers Lily, convaincue de la réussite de ce souper.

— Tu me sors d'ici immédiatement.

Le sourire de la rousse est figé et son regard se fait plus dur.

— Quoi ?

— Tu me sors d'ici immédiatement.

— Non, pas ça, j'avais compris la première fois. Mais pourquoi ?

— Tu me vois vraiment sortir avec le sosie de Ben ? On se ressemble assez de caractère, toi pis moi, on va laisser les frères de côté, s'il te plaît.

— Ils se ressemblent pas tant que ça…

— T'as raison. Ben a pas la tête rectangulaire !

— Quoi ?

— Oliver a la tête en prisme rectangulaire ! Tout droit sorti d'un moule de pâte à modeler ! Tu te souviens, les moules où tu fous la pâte à modeler d'un côté, tu baisses la manivelle, pis ça sort de l'autre côté ? continue Lily à un débit effréné, tous les muscles de son corps crispés.

— Comment tu veux que je te sorte d'ici ? répond Ray sur le même ton.

Lily a soudainement une idée.

— Je suis diabétique, je peux pas manger de dessert, je me suis évanouie, lance-t-elle avant de se laisser tomber en bas de sa chaise.

— Hostie que t'es conne ! Hostie que t'es conne ! chuchote sauvagement Ray en surveillant l'arrivée des deux hommes.

— Ça va marcher. Il faut que ça marche !

— Une chance que t'es comédienne, tabarnak !

Au même moment, Ray reçoit sur son cellulaire un message de Sophie qui leur demande, à Lily et à elle, de ne pas rentrer trop tôt… vraiment pas trop tôt.

*

— *Miss, your office isn't repaired yet.*

— *Try to make it as fast as possible, please.*

— *Of course.*

C'est avec un grand sourire aux lèvres et de légers cernes sous les yeux que Sophie entre dans le bureau qu'elle doit encore partager avec Garrett. Son collègue s'y trouve déjà. Il regarde Sophie, surpris de son attitude, différente de celle qu'elle a d'habitude. Elle lance :

— Bon matin, Garrett !

— *'morning…*

— C'est une belle journée, tu trouves pas ?

Elle n'obtient aucune réponse mais ne s'en formalise pas, sachant que Garrett ne comprend pas un mot de français. Après quelques minutes de travail silencieux, il décide de dire ce qu'il a sur le cœur.

— *Is this fellow Henry your friend?*

Le sourire de Sophie s'agrandit, si la chose est possible.

— *Yes! A good friend of mine…* répond-elle alors que toutes sortes d'images lui passent par la tête.

— *Maybe you didn't hear, you're new at the museum, but this guy plays around with girls, and he's always off to parties…*

— *Oh, I heard.*

— *You can find better than him, baby love.*

« Quel est le gène que je possède qui me fait attirer les pires cons de la gent masculine ? » La brunette en a par-dessus la tête d'être gentille.

— *Listen carefully, Garrett: I'm not into you.*

Le jeune homme tente de prendre un air piteux mais n'y parvient pas vraiment et, à bout d'arguments, entreprend de dénigrer son adversaire.

— *He didn't make it to the university, he's always drunk…*

Sophie en a assez entendu. Il veut la prendre pour une fille facile ? Très bien, il l'aura voulu ! Elle ajuste son chemisier, empoigne sa pile de documents et s'apprête à aller travailler ailleurs.

— *… I think that he smokes, and not regular cigarettes, if you see what I mean…*

Juste avant de sortir, Sophie se retourne dans le cadre de la porte. Elle foudroie Garrett du regard, essayant d'imiter l'air glacial que Lily lance pour décourager les hommes, et lui crache à la figure, mue par une soudaine inspiration :

— *Maybe. But he's got one thing you'll never have: me!*

« Le comptoir d'un café est le parlement du peuple »

Après trois Starbucks pleins à craquer :

— J'aime pas ça, j'aime pas ça, répète Lily, les coudes sur la table.

— Pourquoi on va pas à l'autre café ?

— Parce qu'il est en rénovation… répond Sophie.

— Ouin, pis c'était pas tellement mieux de toute façon… rétorque Ray, de mauvaise foi. Même si les chaises étaient plus confortables.

— Les pâtisseries sont dures, le thé est froid, pis le café… énumère Lily.

— *It's not coffee ! It's more like dishwater !*

Elles observent les lieux, découragées, avant de prendre leurs manteaux et de sortir.

*

— Ah ! quel plaisir ! murmure Lily en s'enfonçant dans son divan et en fermant les yeux pour bien écouter la musique, une tasse de café maison entre les mains.

Dans leur minuscule salon rouge, les trois femmes se laissent bercer par le talent d'un groupe de la région peu connu qu'elles ont récemment découvert par hasard sur Internet. Ben, qui vient tout juste d'arriver, les regarde, un sourire mi-attendri, mi-amusé sur ses lèvres. Il n'aime pas trop le style de la musique mais ne dit pas un mot.

— Regardez ça. On est jeudi soir, pis on trouve tellement pas de café potable pour satisfaire notre dépendance pendant la journée qu'au lieu de boire un verre, on boit du café.

— Qu'est-ce que tu voudrais boire à la place ?

— Je sais pas. Je suis trop tourmentée par mon manque de caféine.

— Du vin ? Une bière ? Non, ça, on en a plus. Un Bloody Caesar ?

— Mmmmm, un Caesar ! Ou un Lily la Princesse !

— *Lily the Princess ?* lance Ben, qui croit avoir enfin compris quelque chose.

— *Yes, you know, sometimes, we invent drinks... with our names*, rigole Ray.

— *What's a Lily the Princess ?*

— Fraise, crème glacée et rhum blanc, lui répond Lily.

— C'est rose, précise inutilement Sophie.

— Évidemment, rétorque Ray. *I swear, it's not bad*, rigole-t-elle en voyant Ben afficher un air sceptique.

— Quoi demander de plus que de bons drinks et de la bonne musique pour passer une bonne soirée ?

— Rien !

— Rien !

— Rien, se répond aussi Lily.

— Pourtant, il y a tout à Londres, souligne Ray.

— Sauf ça.

— *This what ?*

— *This ça*, répond Lily en pointant tour à tour la radio et leurs cafés.

— *Can you put words, sentences or explanations on your ideas ?* demande Ben, cherchant sincèrement un sens à leur discussion.

Les trois femmes restent silencieuses un moment.

— Un endroit... commence Sophie, plongée dans ses pensées.

— Un bar ? Un bistro ?... avance Ray.

— De la lumière, beaucoup de lumière, continue Lily.

— De la musique, ajoute Ray.

— De la musique, répète Sophie.

— Toute la musique, termine Lily. Un endroit décontracté, sans prétention, pour pouvoir écouter ce genre de musique émergente !

— Ça pourrait même être intéressant de faire découvrir des groupes ! De leur donner un endroit pour jouer !

— Un endroit où boire et, pourquoi pas, manger ? Le jour, le soir, la nuit !

— Confortable… Des divans ! Chaleureux… clair…

Ray lance tous les mots qui lui passent par la tête.

— *You're doing it again*, dit Ben en sentant qu'il va encore une fois perdre le fil de la conversation.

— Une partie de chez nous. Simple, chaleureux. Où on fait la fête…

— Où on boit du bon café !

27 mai

Provenant du couloir, une petite voix enfantine se fait entendre et ne s'arrête plus. Lily sourit et se lève pour ouvrir la porte de leur suite.

— Salut, ma belle face ! lance-t-elle à la fillette, qui se met à courir en direction de sa tante pour l'enlacer.

Derrière elle, les mères de Sophie et de Lily sont seulement rendues à la moitié du corridor, accompagnées de la sœur de la mariée. Le duo maternel s'arrête près de Lily, qui demande :

— Avez-vous ce qu'on vous a demandé ?

Les deux mamans échangent un regard alors que Lily les embrasse à tour de rôle pour leur souhaiter la bienvenue. La rouquine serre sa mère dans ses bras un moment, contente de la revoir.

— Je suis pas sûre que ce soit une bonne idée… commence la mère de Sophie.

— Mais on les a, l'interrompt celle de Lily en sortant deux bouteilles de vin de son sac.

Lily les remercie en les invitant à entrer. Alice s'élance à leur suite pour aller voir Ray et Sophie. Sophie, qui l'a vue naître et qui a joué les gardiennes à plusieurs reprises aux côtés de Lily, a voulu que la fillette, sept ans, soit la bouquetière. Henry a même accepté de payer son billet d'avion. Elle est donc venue les rejoindre en compagnie de sa grand-mère, pour le plus grand plaisir de celle-ci et de Lily. La sœur de Sophie, âgée d'à peine vingt ans, traîne légèrement les pieds.

— J'ai vraiment eu envie de me pitcher en bas de l'avion, assise pendant sept heures entre Alice, qui parle tout le temps, et ces deux-là, qui répétaient que vous aviez une vie de fuckées, murmure-t-elle à Lily avant de lui faire un clin d'œil et de lui tendre une bouteille de fort.

— Ravie de te revoir, Camille! s'exclame Lily en fermant la porte avec maladresse, les mains encombrées par les trois bouteilles.

Giocoleria mele

Elle observe la petite pièce qui s'étend derrière elle dans le miroir de la coiffeuse. La lumière jaune des ampoules confère une atmosphère unique et sacrée à l'endroit. Son costume est suspendu dans un coin et attend sagement qu'on s'occupe de lui. La loge embaume la poudre. Tout est silencieux. Il s'agit d'une sensation étrangement nouvelle pour Lily de savoir que des gens ont été payés pour aménager sa loge, pour transporter son costume et son masque. Elle a l'habitude de s'occuper de ces choses elle-même.

*

Après avoir revêtu son pantalon trois quarts à losanges rouges et verts, Lily remonte ses cheveux de façon complexe afin de pouvoir les cacher plus tard sous son chapeau de feutre rouge. Elle enfile le haut de son costume, lace ses chaussures préalablement usées et remonte ses bas blancs. Puis, elle quitte la loge, paupières mi-closes, en valsant de façon extravagante pour se réchauffer.

Une fois dans les coulisses, une musique de cirque aux accents nostalgiques se fait entendre. Émue par cette mélodie qu'elle connaît par cœur, Lily ferme les yeux deux petites secondes à peine pour prendre une grande respiration. Enfin de retour sur les planches d'un théâtre, elle ne veut rien oublier. Juste avant son entrée en scène, elle enfile son masque. Un dernier soupir. La fête peut recommencer.

Love at First Sight

La rouquine évalue son amie depuis plusieurs minutes déjà, la bouche crispée, un air concentré sur le visage.

— Bon. Ça me fait bien ou pas ?

Après mûre réflexion, Lily éloigne la main de son menton et tente :

— Oui, mais c'est juste que…

— C'est trop sérieux ? Non, je pense que c'est trop plate. C'est drabe, hein ? termine Sophie en continuant de se tourner et de se retourner au centre de la salle aux multiples miroirs.

Elle fixe Lily avec un regard désespéré. Celle-ci, confortablement assise dans un des petits fauteuils coquets de la boutique, boude pour la forme en observant son amie. « C'est quoi, aussi, l'idée de venir dans une boutique si… si… bourgeoise ! » se dit-elle.

Ne recevant toujours pas de réponse, Sophie se dirige vers la vendeuse qui passe avec un air hautain.

— *Sorry, Miss, what do you think about that dress with this…*

— Oh non, s'il te plaît, demande pas des conseils de style à ce genre d'Anglaise-là !

La vendeuse repart, l'air encore plus renfrogné. La rouquine se lance :

— C'est pas drabe mais tellement… normal ! Je pourrais te faire une broche avec des plumes de paon. Ça donnerait une touche personnelle à ton ensemble, et si tu me laissais retoucher tes escarpins bleus, juste un peu...

— Wô, je t'arrête tout de suite! Il est hors de question que tu touches à mes souliers!

— Mais avec la broche...

Lily s'approche de son épaule pour continuer.

— ... et de petites boucles d'oreilles bleutées pour le rappel de tes yeux, le tour est joué...

D'un geste impatient, Sophie s'enferme dans sa cabine pour se donner plus de temps de réflexion. Elle se regarde de nouveau dans le miroir et tente de s'imaginer aux côtés d'Henry. Sa visualisation s'arrête rapidement lorsque son cœur s'emballe à cette idée.

Une fois la robe payée, Sophie pointe un index menaçant vers son amie.

— Va pour la broche, mais pas question que tu t'approches de mes souliers! conclut-elle.

Elle prend le sac que lui tend la caissière.

— Promis!

En sortant de la boutique, Sophie observe sa complice ajuster son béret sur ses cheveux bouclés. Plus elle y repense, plus elle aime l'idée de la broche. La brunette prend le couvre-chef de son amie pour le jeter au fond de son sac en prétextant qu'aujourd'hui, elle a les cheveux propres. Lily met ses lunettes de soleil en tirant la langue.

— Henry va fondre, je te jure! lui lance-t-elle en s'examinant furtivement dans la vitre d'une voiture stationnée.

— Avoue que t'aurais aimé que Ray soit là! lui lance Sophie, sachant trop bien ce qu'elle et Lily sont capables de faire ensemble.

— Certain! dit-elle en riant. Imagine ce qu'on t'aurait fait acheter!

*

— Ray, on est tombées en amour aujourd'hui ! s'exclame Sophie en ouvrant la porte avec fracas.

Elle reste immobile, une main sur la poignée, l'autre sur le chambranle à la hauteur de sa tête. Lily entre en passant sous son bras, laisse tomber son sac à main sur le tas de souliers dans l'entrée et va s'asseoir à côté de Ray.

— Encore ? C'est quoi, cette fois-là ? Un chien, une jupe, un miroir... une laveuse ? répond Ray avec sarcasme en regardant toujours ses papiers étalés sur la table.

— Un local !

— Ah ! c'est nouveau, ça, vous me l'aviez pas sorti encore, rétorque-t-elle en rayant vivement plusieurs phrases de son texte.

— Non Ray, tu comprends pas, ajoute Lily d'un ton solennel, ses yeux verts fixant son amie.

— OK, je comprends pas, répond-elle en accordant finalement toute son attention à ses deux copines.

— On a trouvé le local !

— Pas le local pour notre café ? demande Ray, soulevant l'idée folle qui leur trotte dans la tête depuis un bon moment déjà.

— Oui ! répondent en chœur Lily et Sophie.

— Est-ce qu'il est à louer, au moins ?

— Oui, il est à louer, dans le quartier qu'on voulait, en plus, pis avec un mur de briques !

— Wow.

— Il est parfait, termine Lily.

— L'avez-vous loué ?

— Ben là, non.

— Les filles !

— Ray, tu l'as même pas vu !

— Ouin, fait la blonde avant de se lever.

Sophie et Lily l'observent se diriger vers la porte.

— *Dude*, qu'est-ce que tu fais ?

— Je vais voir le local, Lily.

— Mais tu sais pas il est où !

— Mais vous allez me le montrer.

— Ray, il est 8 heures ! Il s'envolera pas d'ici demain matin !

— Non, mais la pancarte « À louer », peut-être !

*

Devant une des grandes fenêtres qui font la quasi-totalité de la façade, les trois femmes observent l'intérieur du local.

— Wow.

— Il est parfait.

— Oui.

— Faut le louer.

Elles ont les mains en visière, les visages collés contre la vitre.

— Mais il est huit heures et demie ! On va les déranger.

— Ça dépend de leur âge.

— On s'en crisse, rétorque Ray en sortant son téléphone.

Elle compose le numéro affiché sur la pancarte « À louer ». Lily s'arme d'un bout de papier et d'un crayon trouvé au fond de son sac, tandis que Sophie, nerveuse, pose un million de questions à Ray qui n'a pas encore obtenu la communication.

— *Good evening! I'm calling about the 7633… Yes. OK.*

Ray murmure à l'intention de ses amies :

— Il est en train de souper avec des amis, il s'éloigne pour nous parler.

— Oublie pas de lui demander si on peut le visiter !

— Oui ! *Hi! I'm calling for information about the place you're renting. We would be interested in visiting it and knowing about the price… and…*

— Demande-lui quand est-ce qu'on peut le visiter !

— Oui, oui. *When are you available to show us around? Tomorrow?* Demain ?

— Demain ? Euh, oui.

— *Yes, we can. Ten a.m. OK, thank you !*

Ray raccroche. Le sourire de Sophie se fige soudain.

— Euh, les filles, je travaille demain.

— Non. Demain, t'es malade.

God Should Have Spent a Little More Time on You

— Lily ! hurle Sophie en se dirigeant vers le salon, une simple serviette enroulée autour de son corps. As-tu vu ma brassière bleue, celle rayée brun…

Elle remarque soudainement que Lily n'est pas seule au salon.

— Ah. Tiens. *Hi, Oliver…* salue-t-elle, sa voix manquant un peu d'entrain.

Le visiteur la regarde, gêné, et répond, avec trop d'empressement :

— *Hi !*

Faisant fi des bonnes manières, Sophie grommelle entre ses dents :

— Il est encore ici, lui ?

— Ç'a ben l'air, rétorque la rousse sans se départir de son sourire figé.

— Hum, bon. Je vais aller m'habiller, termine l'archéologue en retournant à sa chambre.

Lily se sent soudain abandonnée et reste immobile au centre de la pièce. Oliver ne semble pas vraiment plus à l'aise et se balance sur ses pieds.

— *So… would you like something to drink ?* demande Lily gentiment.

— *Yes. Uh… a beer, please ?*

— *Coming up !* lance Lily, qui se dirige vers le frigo en espérant que Sophie revienne vite.

La brunette entre à son tour dans la cuisine.

— Pourquoi il est *encore* ici ?

L'archéologue chuchote ; elles n'ont jamais très bien su si Oliver comprend le français.

— Il m'a dit que Ben et Ray voulaient l'appart pour la soirée et que ça lui tentait pas de tenir la chandelle.

— Ah. Bon. Mais il a pas ça, lui, des amis ?

— On dirait que non… soupire Lily.

*

Un peu plus tard, Lily décide d'aller prendre sa douche et d'échapper ainsi aux piètres tentatives d'Oliver pour se rapprocher. Il reste donc au salon en compagnie de Sophie, qui regarde une rediffusion de *Britain's Got Talent*. Oliver se décide alors à engager la conversation et Sophie ne sait pas trop si elle doit s'en réjouir.

— *So… you never wanted to do drama ?*

La jeune femme le regarde, surprise. « Moi, du théâtre ? »

— *No. I'm too shy… I think*, tente-t-elle.

— *Oh, yes,* fait Oliver comme s'il acceptait cette hypothèse. *Theatre is no place for shy people. Lily isn't shy.*

« Mais c'est quoi, cette conversation ? »

— *Hum… not that type of shyness.*

— *And archaeology requires less passion than the scene…*

« Il est en train de dénigrer mon métier, là ? » La brunette ne sait plus quoi répondre.

— Euh…

Mais Oliver enchaîne déjà :

— *Does Lily have a boyfriend ?*

« Ah. Voilà. »

Au même moment, Sophie entend la porte de la salle de bain s'ouvrir et Lily entrer dans sa chambre. Sans un mot pour Oliver, elle esquisse un sourire forcé et va rejoindre son amie. Elle ouvre la porte pour la refermer immédiatement et prend son air le plus sérieux.

— OK Lily, je t'explique. Tu sors avec un gars qui s'appelle Éric. Vous êtes ensemble depuis trois semaines. Vous vous connaissez depuis un bout de temps parce que j'ai appelé le gars blond de l'immeuble d'en face pis y est d'accord. Il va jouer le jeu…

— Mais Sophie, il a quarante ans !

— C'est pas grave. Il est Sagittaire et travaille comme avocat. Il a de la parenté au Québec et il parle très bien français, continue-t-elle d'un débit rapide.

— Quoi ?

— Écoute bien, là. Il aime beaucoup le noir et les chiens. Surtout les bulldogs… avec des colliers bleus. Il aime le ski de fond, le bobsleigh et la marche rapide !

— Ouache !

— J'ai tout raconté ça à Oliver pour qu'il te laisse enfin tranquille.

— Tu me niaises ?

— Oui. J'ai pas autant de temps à perdre… faudrait que je m'achète une vie !

— Hostie que t'es conne.

Thym citron et raisin blanc

Dans un dernier effort commun, les trois jeunes femmes se laissent tomber sur le divan, un des généreux cadeaux laissés par l'ancien locataire. Elles poussent toutes le même soupir caractéristique du soulagement qu'on ressent après avoir accompli une tâche ardue. Assises au milieu de la grande pièce vide, elles regardent leur œuvre, pinceaux toujours en main.

— On a fini !

— La peinture. On a fini la peinture, corrige Sophie.

— Ouin, j'aime ben ça, le rayé avec les deux murs de briques, ça réchauffe la pièce.

Silencieuses, elles sentent la fatigue laisser graduellement place à l'excitation.

— La première étape est terminée ! En plus, on l'a fait dans les temps, il est même pas 7 heures !

— Pis on a respecté le budget ! On mérite bien un verre de vin ! lance Ray en s'agrippant aux genoux de ses amies pour se lever.

Elle prend leurs pinceaux, les laisse tomber en chemin dans l'évier et se dirige vers le réfrigérateur que l'ancien occupant n'a pas pris la peine de sortir non plus. Au lieu de se plaindre, comme à leur habitude, les jeunes femmes l'ont gardé et rempli de bouteilles d'eau et de trois bouteilles de vin.

— T'es sûre qu'y a rien qui interdit de boire de l'alcool quand tu as passé la journée dans une pièce à inhaler les vapeurs chimiques du vert thym citron et du beige raisin blanc ? On devrait aussi ouvrir la porte de la terrasse, ça ferait un courant d'air, dit Lily en prenant le verre que lui tend Ray.

— J'suis pas mal fière de nous. Imaginez deux minutes que ça marche. Qu'on soit réellement les heureuses proprios d'un café-bar, dit Sophie.

— On dirait que je commence à peine à réaliser ce qu'on est en train de faire. C'est encore tellement surréaliste, confie Lily.

— Je crois que *caller* de la pizza est de rigueur, lâche Ray en se rasseyant avec bruit.

— On te laisse faire ! répond Sophie en souriant hypocritement. Je te prête même mon cellulaire.

— Ta générosité va te perdre, Sophie.

Dehors, les rares passants peuvent entendre les rires franchir la porte ouverte, d'où sortent des odeurs de peinture. Un vieil homme s'arrête devant le local. Trois femmes dans la mi-vingtaine, en salopette, rient et font de grands gestes en pointant les murs avec leurs verres. On dirait une pièce de théâtre, avec la lumière de l'intérieur qui éclaire jusqu'au trottoir, tandis qu'il est là, lui, dans le noir. Son attention retourne sur son petit chien qui s'impatiente au bout de sa laisse.

— OK, we're going home now, Gorky.

27 mai

— Moi, je me suis jamais mariée !

— Moi non plus !

Les deux mères se tapent mutuellement dans la main, renversant ainsi une partie du contenu de leurs verres. Ray et Lily les contemplent en riant tandis que deux coiffeuses tentent de faire quelque chose avec leurs cheveux.

— Nous non plus ! ajoute joyeusement Ray en levant sa coupe.

Les deux dames étaient déjà prêtes à leur arrivée dans la suite. Elles ont donc succombé, malgré leurs bonnes intentions, à la tentation des bouteilles de vin.

— S'il me l'avait demandé, j'aurais peut-être pas dit non, mais j'aurais peut-être pas dit oui non plus.

— Moi aussi !

— C'était clair, ça, maman, soupire Sophie, aux prises avec la maquilleuse.

Alice passe en courant, suivie de Camille qui tient sa robe.

— Ma petite taba…

— Camille !

— Mais Lily, elle veut rien savoir !

— Attends. Alice ?

La fillette arrive en gambadant devant sa tante, toujours retenue sur sa chaise par la coiffeuse.

— Va mettre ta robe, parce qu'il faut que tu sois prête pour te faire coiffer en princesse.

— OK ! Camille, aide-moi !

Camille reste bouche bée.

— Comment tu…

— C'est naturel, chantonne Lily en levant son verre pour trinquer avec ses deux amies, qui lui répondent avec plaisir.

Thomas : la présentation

Lily raccroche le téléphone et termine la transaction de sa cliente. Depuis la fin des représentations de la commedia dell'arte, elle a repris son poste à la billetterie du théâtre pour lequel elle travaille depuis son arrivée à Londres. Elle répète sans cesse les mêmes phrases, changeant simplement les dates, les titres des pièces, les noms des acteurs. Enfermée dans son cubicule de verre les soirs de représentation, elle salue les clients, leur souhaite une bonne soirée et, une fois le spectacle commencé, rentre à la maison. Encore aujourd'hui, ne portant plus attention à ses gestes, Lily descend au vestiaire, où elle met son uniforme. Maintenant installée dans la petite pièce des employés, elle termine son café avant son quart de travail. Elle salue le metteur en scène de la pièce à l'affiche, qui s'assoit près d'elle. Il est encore plus nerveux qu'au soir de la première. Une comédienne diabétique a eu une grave crise d'hyperglycémie et a été transportée d'urgence à l'hôpital. Elle doit y rester pour la nuit. Lily ne commence à travailler que dans trente minutes et, déjà, elle est fatiguée par la fébrilité des gens présents. Un placier arrive et demande la raison de toute cette agitation. Pendant que le metteur en scène passe des coups de fil, Lily explique la situation à son collègue. Ce dernier prend la description et le texte du personnage sans actrice sur la table.

— *It's not hard to do ! You don't need a Ph.D. to say those five lines.*

Un silence suit sa déclaration. Les deux personnes présentes le dévisagent, sourcils haussés.

— *Bad one. Everybody here studied theater, dude*, répond Lily sans se soucier du metteur en scène.

Elle se dirige ensuite vers la poubelle pour y jeter son gobelet.

— *Did you ?* s'exclame le metteur en scène, plein d'espoir.

— *Ehm... yes.*

L'homme regarde tour à tour Lily et le texte, puis Lily, puis le texte, et de nouveau Lily... avant de partir en direction du couloir en criant : « Nicole ! »

*

Lily est maintenant revêtue d'une robe argent très serrée. La Nicole en question est avec elle dans la loge et répète le texte que Lily devra dire. Par chance, elle n'interagira qu'avec elle.

— *The dress is supposed to be broader... but I think it looks sexier like that, if you want my opinion*, lui dit la dame dans la quarantaine avec un clin d'œil complice.

Elle guide Lily dans le brouhaha de dernière minute. Selon certains collègues, cette femme a déjà fait sa réputation dans les théâtres d'Angleterre. Lily se sent privilégiée et légèrement intimidée d'être à ses côtés.

*

— *Oh, dear Lily, come here !*

Lily s'arrête net et tourne la tête vers le metteur en scène, qu'elle n'avait absolument pas remarqué. Elle était plongée dans ses pensées, se souvenant du mélange de vulnérabilité et d'invincibilité qu'elle ressent toujours au moment de monter sur scène. Sachant qu'elle ne renouera pas avec ce sentiment de sitôt, Lily avance un peu à regret vers l'homme, laissant derrière elle les quelques comédiens et amis qui sont restés au théâtre pour prendre un verre.

— *Thank you !*

Lily baisse les yeux, gênée.

— *It's the girl who saved my life this evening !* lance-t-il fortement à l'homme aux Converse à ses côtés, qui observe fixement Lily.

La jeune femme a à peine eu le temps de le saluer que son téléphone sonne. C'est Ray qui lui demande si elle est morte, car elle l'attend depuis quinze minutes à l'extérieur. Avec un sourire d'excuses, Lily remercie le metteur en scène de lui avoir donné la chance de jouer de nouveau et part sans avoir pu échanger quelques mots avec l'homme aux Converse. Le dos tourné, elle s'éloigne lentement lorsqu'elle entend la voix enrouée du metteur en scène :

— *She's good, really.*

A Woman Left Lonely

Lily est enfermée dans le local nouvellement loué depuis plusieurs heures déjà. Elle s'est réveillée ce matin, toute seule à l'appartement, en se rappelant que Ray avait passé la nuit chez Ben et que Sophie était sûrement déjà au travail.

Puisqu'on lui avait appris la veille qu'elle pouvait prendre une journée de congé, Lily est immédiatement partie pour le futur café et s'est noyée dans le travail. Elle a pris les mesures pour les plans des comptoirs et de la banquette et fait la liste des achats conformément à leur budget restreint.

La jeune femme retourne chez elle pour se changer et part en direction des magasins de meubles d'occasion, des brocantes et des boutiques d'antiquités. Avant tout, elle loue une voiture pour la journée afin de pouvoir transporter les chaises et les tables qu'elle achètera aujourd'hui.

— *What's the price of this chair ? And if I buy those five chairs ?*

Les chaises ont besoin d'être solidifiées et repeintes, et Lily compte bien en tirer profit.

— *If I buy those two round tables and those three little coach chairs, can you give me a bargain or not ?* insiste Lily afin que le vendeur arrête de réfléchir et accepte son offre.

Ce qu'il finit par faire.

*

Deux magasins d'antiquités, quatre marchés aux puces, six brocantes et un tour à la quincaillerie plus tard, la plupart des chaises et des tables sont achetées, mais le compte n'est pas encore complet. Lily s'est même laissée tenter par un canapé de style Louis XIV au tissu complètement déchiré, qu'elle a réussi à avoir pour une somme assez raisonnable.

Il fait complètement noir à l'extérieur lorsque Sophie lui téléphone.

— T'es où, toi ?

— Au café.

— Qu'est-ce que tu fais là ? Il est dix heures presque et demie !

— Ah... pour vrai ?

— Certain !

— J'ai pas vu le temps passer, j'ai avancé les travaux un peu...

— Un peu ?

— Ouin...

— Faque si on rentre, on va reconnaître le local ou pas ?

— Le café en tant que tel a pas changé, j'ai juste acheté quelques meubles.

— Lily...

— OK, vingt chaises, cinq tables, euh, six tabourets... Oh ! un super divan pis une table basse, pis en plus, j'ai trouvé...

— Stop. Si ça te dérange pas, je vais venir jeter un coup d'œil...

— Moi aussi je viens ! lance la voix de Ray derrière Sophie.

*

Lily regarde fièrement ses deux complices admirer ses découvertes dans leur futur café qui, pour le moment, ressemble davantage à un chantier de construction.

— Wow...

— J'ai eu le temps en masse. J'ai même nettoyé la terrasse un peu. J'ai commencé à sabler les planches de bois de la clôture.

— Ça commence à avoir l'air de quelque chose, en tout cas, j'aime ça !

— Mais où est-ce que t'as trouvé des mannequins complets ? demande Sophie, impressionnée.

— Dans un endroit qu'on appelle communément une cour à *scrap* !

— Tu les as lavés... ?

— Ben oui Sophie, voyons ! Pis c'est pas comme si le monde allait manger dessus non plus ! Il faut juste que je trouve un tissu pour le divan, il est tellement beau !... Pis une couleur pour les mannequins.

Les trois locataires regardent en silence leur petit local. Leur café-bar. Le Kweb.

Henry va au stade

En bon Britannique qu'il est, Henry a décidé d'initier les trois jeunes femmes au football européen. Il leur offre cette occasion de décompresser avant l'ouverture prochaine du Kweb et leur fait un cadeau pour célébrer leur entrée dans le monde du commerce.

— Combien ça t'a coûté ? demande Sophie sous la pression de ses deux amies.

Un simple cadeau et une occasion de s'amuser signifient pour Henry les meilleures places du stade, dans une des loges privées que lui et sa famille s'offrent chaque année.

— *Hum, 150 pounds*, répond distraitement Henry, déjà installé dans son fauteuil, qui ne se lasse pas d'admirer le terrain.

— *What?* disent simultanément Ray et Lily, qui se tournent vers le grand rouquin.

— *That's OK, girls, that's not expensive for me.*

— *For us neither!* s'exclame Ray, orgueilleuse.

— Même pas le prix d'une paire de billets dans les rouges, ça! rétorque Lily en se réinstallant dans son siège. Le Centre Bell pis ici, c'est à peu près le même nombre de personnes, hein?

Ses deux amies parcourent à leur tour les gradins du regard et hochent la tête.

— *What is the stadium's capacity?* demande tout de même Lily.

— *About 40 000 people.*

— Ah.

Les filles se taisent quelques secondes, réévaluant mentalement le nombre de places et se disant que leur estimation était ridicule.

— En tout cas, ç'a l'air plus petit que ça… reprend Ray sous les hochements de tête énergiques de ses deux comparses.

Henry sait pertinemment qu'il vient de les perdre. Il décide de les laisser faire et de profiter du match qui commence. Lorsque la première équipe arrive sur le terrain, les spectateurs acclament les joueurs.

— Lui! Lui! C'est la vedette? C'est quoi son nom? s'enquiert Ray, déjà sur le point de se lever de son fauteuil.

— *It's…*

— Crosby! C'est comme le Sidney Crosby de la gang. Tu l'aimes juste s'il est dans ton équipe, coupe Lily.

— *Is he in our team, Henry?* demande la brunette à son copain.

— *Yes.*

— OK, Crosby est de notre bord, les filles!

— Penses-tu que le gardien va faire des clins d'œil en arrêtant le ballon? demande Lily.

— Peut-être parce qu'il peut pas démolir son but, il est trop grand, rétorque Ray le plus sérieusement du monde.

— Hein, c'est Ovechkin ! crie Sophie en riant.

— Où ça ?

— Le grand baveux dans le coin là-bas.

— Ben oui ! Pis Crosby se plaint à l'arbitre, c'est vraiment lui ! fait remarquer Ray.

— *Girls, can you...*

— Heille ! *Cross-check !* Deux minutes sur le banc ! hurle Sophie.

— Oh... *Talbot is in the house*, chantonne Lily.

— Quoi ?

— Le *cute* avec la barbe là-bas, qui a l'air de raconter une joke, précise Lily.

— Il est bon, ce gardien-là. C'est comme un mur. Ça, c'est un joueur à garder dans son équipe, dit soudainement Ray.

— *This guy is not with us ?* demande Sophie à l'intention d'Henry, même si elle a déjà bien compris que non.

— *He was. He's been exchanged. Bad move*, rétorque le rouquin en secouant la tête.

Quelques minutes passent durant lesquelles les filles semblent s'être un peu calmées. Soudainement, Henry lance, en pointant un joueur :

— *That player over there, he is like Peter Osgood !*

— *Who ?* demandent les trois filles en chœur.

— *What ? He's a legend ! Peter Osgood !*

— *Oh, like Maurice Richard*, comprend Lily.

— *Yes, Richard ! Did he start a revolution ?* demande la brunette à son copain.

— *A revolution ? Uh, no.*

— Ah OK, c'est plus comme...

— Guy Lafleur ! s'exclame Ray.

— Oui ! T'as raison. Guy.

— Guy ! Guy ! Guy ! Guy !

« N'être plus écouté : c'est cela qui est terrible lorsqu'on est vieux »

Sophie vérifie plusieurs fois que la porte s'ouvre bien avant de se diriger vers le comptoir en sautillant comme une enfant.

— Je l'ai fait ! C'est débarré !

Devant les fenêtres, Lily observe nerveusement la rue où seuls quelques piétons circulent.

— Bon, ben, on va juste espérer avoir des clients, hein ? L'idée d'ouvrir un mercredi, aussi…

Sophie, pour sa part, vérifie pour la millième fois que le café est bien en ordre. La porte d'entrée s'ouvre.

— ALLÔ !

— *Hey!*

Ray entre dans le café, suivie de près par Ben, et se dirige directement vers la caisse.

— *Can I have a medium latte, to drink here, please ?*

— *Of course !* s'écrie Lily en se précipitant derrière le comptoir.

— *Would you like something ?* demande Ray à Ben, qui examine attentivement les lieux.

— *Huh… yes, same thing*, répond distraitement l'homme en s'approchant de la petite scène en fond de pièce.

Surélevée, cette partie du café peut accueillir autant des clients assis le jour que des musiciens le soir venu.

— *And two lattes for you !*

Lily dépose les tasses avec un grand geste et s'empare du billet de dix livres que lui tend Ray.

— C'est bien, ça ! C'est pas parce que t'es proprio que tes cafés sont gratuits ! Pas encore…

— Je sais !

Ray a à peine le temps de goûter le sien que la porte d'entrée s'ouvre une seconde fois.

— *May we ?* fait une vieille voix rauque.

Les quatre adultes se tournent et observent un vieil homme vêtu d'un veston bleu foncé faire quelques pas à l'entrée du café avec, à ses pieds, une petite boule de poils blonds qui trotte.

— *Of course you can come in*, s'exclame Sophie en indiquant les tables libres pour qu'il y prenne place.

— *Thank you.*

Il lui sourit chaleureusement. Il avance mais prend plutôt place au comptoir, près de Ben et Ray.

— *This is a new place?*

— *Hem, yes. We opened… this morning*, répond poliment Lily.

— *Lovely.*

Il examine le menu écrit à la craie sur un tableau noir.

— *A black tea, please.*

— *Good!* s'exclame Lily en prenant une boîte cuivrée. *And for him?* lui demande-t-elle en pointant le chien qu'il tient en laisse.

— *For Gorky?* répète l'homme, amusé par la demande.

— … *We have water*, propose Sophie.

Lily verse de l'eau dans un petit bol qu'elle tend à Sophie pour qu'elle le dépose devant le chiot.

Le vieil homme sourit aux trois femmes et leur parle un bon moment. Au début, il est réservé, mais il en vient vite à discuter librement et à rire en leur compagnie. Pendant ce temps, quelques clients entrent pour voir l'endroit et pour commander quelque chose par la même occasion. Au bout d'une demi-heure, l'homme aux cheveux blancs se redresse finalement et tend sa tasse vide à Lily, restée derrière le comptoir.

— *I'm afraid we have to go. Come on, Gorky!*

Il se lève et resserre la laisse du chien entre ses doigts.

— *Hope we'll see you soon, Mister…* commence Sophie avant que l'homme s'éloigne trop.

— … Thompson.

Rendu sur le pas de la porte, il s'adresse une dernière fois aux propriétaires du café.

— *Cheers!*

Thomas : la tentation

Cela fait une semaine que le café est ouvert et, bientôt, il sera question de la soirée d'inauguration officielle. Aujourd'hui, depuis le départ de Mr Thompson, l'endroit est resté presque désert. Les trois amies savent déjà que le vieil homme ne ratera aucun mercredi. Dos à l'entrée et très concentrée, Lily tente tant bien que mal de ne pas se couper un doigt avec un couteau. Il s'agit maintenant de décider quoi faire avec les trois bols de carottes tranchées... Avant de se lancer dans cette nouvelle tâche, elle décide qu'elle mérite une pause. La jeune femme tourne les yeux pour regarder le seul client présent, qui lit une revue d'informatique depuis trois heures en s'enfilant des lattés. Le bon côté de la chose, c'est qu'au moins, il consomme, a souligné Mr Thompson, non sans rire. Elle regarde sous le bar pour voir si elle n'y trouverait pas quelque chose d'inspirant et n'y aperçoit que le *Times* de la veille. Elle va directement à la section « Culture » pour voir les plus récents films et spectacles à l'affiche qui pourraient l'intéresser. Alors qu'un client entre dans le café, elle tourne les pages pour continuer à lire un article sur un nouveau film. La porte se referme et des pas se dirigent vers le comptoir. Lily lève le regard.

— *Good afternoon !*

— *Hi*, répond le client avec un sourire sincère mais à peine apparent.

Il a belle allure avec son pull sous un manteau de cuir, un jeans qui semble presque avoir fait la guerre, une paire de Converse et une barbe de quelques jours. Lily lui donne début trentaine.

— *A large black coffee to go, please.*

Cet homme lui rappelle immédiatement à quel point elle adore l'accent britannique.

— *It's on the way*, dit doucement la rouquine avant de lui faire dos.

— *Thank you.*

Il tourne le journal dans sa direction et le feuillette alors qu'elle prépare sa commande. Elle entend le bruissement des pages, suivi d'un silence et d'une déchirure. Elle se retourne et fait payer l'homme, qui la regarde de façon insistante pendant quelques secondes avant de quitter le café. Une fois dehors, au moment de passer devant les grandes baies vitrées, il fait volte-face vers Lily. Elle a la drôle d'impression qu'il a compris quelque chose qu'elle n'a pas vu. Lorsqu'il sort de son champ de vision, la rouquine, toujours appuyée au comptoir, fixe encore l'extérieur un instant avant de laisser un léger sourire incertain s'imprimer sur son visage. La jeune femme retourne ensuite à son journal et y voit un coin de page déchiré. Une pub intéressante, sans doute.

*

— Je te trouve un peu insultante, Lily ! lance Ray en déposant lourdement son sac à main.

Elle regarde le journal qui n'a pas bougé depuis une heure.

— Quoi ? T'aimes pas les muffins aux carottes ?

— Hein ?

— Oui, j'ai trouvé quoi faire avec les quatre livres de carottes…

L'expression de Ray lui fait comprendre qu'elle ne sait absolument pas de quelles carottes Lily peut bien lui parler.

— Cadeau de Mr Thompson, précise-t-elle avant de continuer. Un muffin avec un café, ça se prend toujours bien, le matin.

— Je te parlais pas de ça, mais c'est une bonne idée quand même. Je disais ça à cause de notre publicité pour notre soirée d'ouverture de demain qui est plus là. Mon article est juste en haut, pis lui, tu y as même pas touché !

Lily s'approche, les mains couvertes de farine.

— C'était notre pub qui était là ?

— Oui.

— Oh... ben... On risque d'avoir de la belle visite demain.

Thomas : l'apparition

— *Red half-pint, please.*

— *There you are, cheers !* Il est là, lance simplement Lily à Ray, se tenant avec elle derrière le comptoir.

— Qui ? répond la grande blonde.

Elle se tourne vers la clientèle qui, petit à petit, s'accumule dans le café devenu, à cette heure de la soirée, un bar.

— Le *dude* d'hier.

— Quel *dude* d'hier ? demande Sophie, qui les a rejointes au comptoir.

— Un beau gars qui est passé au café. Je l'ai juste trouvé... vraiment sexy. Je me dis que l'expression « belle gueule » a dû être inventée pour les gens comme lui. Quand la première chose qu'on remarque chez un homme, c'est sa mâchoire, on a juste deux options. Soit le reste est vraiment ordinaire si on en est rendu à remarquer la carrure d'une mâchoire, soit le reste doit être fantastique puisque la mâchoire est remarquable. Tu y as déjà vu la mâchoire ?

— Non, Lily. On l'a jamais vu, ce gars-là. Pis tu peux pas reconnaître quelqu'un par sa mâchoire... ! dit Ray en suivant le regard de son amie avant de sourire pour montrer son appréciation.

— Pourquoi ? demande la rouquine en faisant la moue.

— Je peux te dire que moi, c'est pas sa mâchoire que j'ai remarquée en premier... continue Ray.

— Pourquoi tu vas pas le voir ? l'interrompt Sophie.

— Quoi ?

— Tu viens de nous dire qu'il te faisait de l'effet !

— J'ai juste dit qu'il avait une belle mâchoire. J'ai pas envie de m'encombrer d'un homme pour le moment ! termine Lily avec un ton qu'elle veut convaincu.

Elle s'empare d'un chiffon et se met à nettoyer le comptoir à toute vitesse. Henry, assis juste en face d'elle au bar depuis le début de la soirée, la regarde, sceptique.

— *Who are you trying to convince right now?*

Ray et Sophie étouffent un rire tandis que Lily, surprise, lâche son chiffon et lève les yeux vers Henry. Il ne parle pas assez et écoute un peu trop à son goût. C'est qu'il finit par vraiment les connaître. Ça n'augure rien de bon, selon elle.

— N'empêche qu'il est là, dit Sophie avant de partir avec le torchon.

*

Le porte-à-porte, les *flyers*, les appels téléphoniques et le budget dépensé en publicité en ont valu la peine. Une centaine de personnes s'entassent dans le Kweb pour écouter le *band*, composé de musiciens plus ou moins connus de la scène underground londonienne. La guitare et l'accordéon ont déjà laissé leurs premières notes s'immiscer parmi les gens rassemblés devant la scène. Lily, avec son expérience de barmaid, prend les multiples commandes au bar. Assis dans un coin, Henry apprécie le groupe.

— Lily ! crie Ray en passant derrière le bar. On a un *line-up* !

— *Nice !* lance Lily en versant une énième bière.

Sophie rejoint son amie au comptoir et l'aide à prendre les commandes d'un groupe d'une dizaine d'hommes qui vient d'entrer. Les bières et les verres se suivent et, bientôt, la performance du *band* est telle que les gens s'entassent partout pour les écouter. Même Henry ne peut contenir son enthousiasme lorsque le groupe entame une de ses chansons favorites.

— C'est clair que sans eux, notre soirée aurait pas eu autant de succès !

En effet, les amis de Ben ont accepté au dernier moment de venir jouer pour la soirée.

— Ils sont vraiment bons ! Remercie Ben comme il se doit, Ray !

— Regarde-moi ben aller !

Sur ces paroles, Ray s'éclipse puis revient quelques minutes plus tard. Ne voyant rien de ce qui se déroule sur la scène, Lily monte sur le comptoir pour s'y asseoir. Se sentant soudainement observée, elle se tourne vers Sophie et Ray, qui la regardent en souriant bêtement.

— Quoi ?

— La mâchoire arrête pas de te fixer.

La rouquine tourne la tête en direction de la petite foule. Elle résiste à l'envie de sourire et garde un air neutre, ne voulant rien tenter pour un simple regard.

— Ben voyons, les filles ! J'irais pas jusqu'à dire « fixer »...

— Tu devrais faire quelque chose, pour une fois, lui lance Ray.

Lily, reine de l'indépendance, du laisser-désirer et du « cours toujours », faire le moindre premier pas ?

— Qu'est-ce que tu veux que je fasse ?

— Au moins lui sourire : sinon, il va penser que t'as pas de dents...

— Je peux pas faire ça ! répond Lily sans prendre la peine de relever le commentaire impertinent de Sophie.

— C'est vrai que ça t'arrive pas souvent ! la provoque encore Ray, ne manquant pas de piquer son amie.

— T'insinues quoi, là ? Que j'ai toujours l'air bête ?

*

Il est bientôt 5 heures du matin, le lave-vaisselle en est à son huitième remplissage et Ray se débat farouchement avec sa chaudière d'eau et sa vadrouille pour essayer de laver le plancher collant. Henry passe devant elle et juche les chaises sur les tables pour lui faciliter la tâche. Depuis au moins une heure, Sophie range les verres dans les armoires et sur les tablettes derrière le bar. Ben est parti deux heures plus tôt avec le *band* pour les aider à ranger leur matériel. Les pieds lourds, Lily passe avec un sac-poubelle et sort par l'arrière-boutique. Elle rentre dans le café avec quatre caisses de bouteilles de bière vides dans les bras.

— *Henry, help me put those in your car, please.*

Henry a accepté, à la condition de ne pas salir sa voiture, d'aller les porter au *corner store* le plus près.

— Combien on en a d'autres comme ça ? demande Ray pour évaluer la réussite de la soirée.

— Trois.

— Bon. On va espérer que le lave-vaisselle saute pas, lance Sophie avec ironie avant de bâiller.

Une fois le dernier coin de la pièce lavé, Ray se laisse enfin tomber sur une chaise en bois et appuie lourdement sa tête contre le mur. Lily revient avec Henry et observe Sophie, étendue de tout son long sur le bar.

— Dodo *time, girls !* On ouvre dans quatre heures !

27 mai

Sophie regarde sa robe, étendue sur un des grands lits de la suite, en soupirant. Sa mère cherche son appareil photo dans tous les coins. Elle se souvient alors de l'avoir laissé dans son sac à main, au pied de la porte.

— Majordome !

Le grand Anglais, qui n'avait jusqu'alors servi qu'à ouvrir des bouteilles et à remplir des verres, comprend qu'on l'appelle.

— *Yes, Madam ?*

— *I would like my Kodak in my bag, please,* demande-t-elle avec un lourd accent québécois.

— *Your... Kodak?*

Elle fait mine de prendre des photos en regardant le majordome de façon insistante.

— *Oh! Your camera! Of course.*

— Euh... comment Henry va faire pour t'ôter ta robe si on doit être deux, trois avec toi-même, juste pour te la mettre? demande Lily en arrivant près de son amie.

— Il va la lui déchirer sur le dos? répond Ray avec une œillade à Lily.

— Ahhh! lancent, étonnées, les deux mères.

— Euh, je veux pas briser votre rêve, mais je change de robe entre la cérémonie et la réception.

— Vous devriez vraiment arrêter de boire, là! suggère Camille aux cinq femmes.

À ce moment, Lily entend son cellulaire vibrer sur la coiffeuse. Son verre à la main, elle se dirige, intriguée, vers l'appareil.

« *We just woke up. At what time is the wedding, again?* »

Lily regarde l'heure: 11 h 45. Le mariage est à 13 heures. Henry doit être dans la limousine à 12 h 30. Elle compte: une douche, quatre hommes. Elle fait signe à Ray d'arrêter de verser du vin à Sophie et de la suivre dans le couloir. Lily montre le texto de Tom à Ray, qui ne perd pas une seconde et entre de nouveau dans la suite. Elle se dirige directement vers le sac de Camille, qui continue de se maquiller. Ray prend la clé de la chambre de Camille et ressort. Elles se précipitent vers l'ascenseur, que Ray appelle plusieurs fois impatiemment avant de se décider à dévaler les escaliers des deux étages. Elles arrivent à la porte de la suite des hommes. Lily cogne. Vêtu d'un simple boxer, Ben ouvre la porte et regarde les deux femmes, qui le dévisagent avant d'entrer. Tom, à moitié habillé, essaie de départager les smokings qui dorment chacun dans sa housse. À l'écart se tient le frère du marié, déjà prêt, qui partage une chambre avec sa femme au même étage. Il a réveillé les hommes quelques minutes plus tôt et les supervise depuis lors pour essayer d'éviter le plus de catastrophes possible. Dans un des lits, Lily aperçoit une masse informe toujours endormie, qu'elle devine être le meilleur ami du marié. La rousse lui assène un coup de cellulaire derrière la tête dans l'espoir de le réveiller, en vain, et se tourne vers Ben.

— *Henry is in the shower*, dit-il instantanément d'une voix enrouée.

— *Want to use another shower? Room 421*, répond simplement Ray avant de lui tendre la clé et de rebrousser chemin.

Tandis que Ben prend la clé et part, Lily passe à côté du corps inerte pour aller vers Tom.

— *Go take your shower*, ordonne-t-elle.

— *Henry is already there.*

— *I don't care, go shave*, d'abord! rétorque-t-elle en le poussant pour réassortir elle-même les complets mélangés.

Elle réunit facilement celui d'Henry avant de s'attaquer à ceux de Ben et Tom. Au bout de dix minutes à essayer de les différencier, Lily abdique, soupire et remet à chacun un complet-veston et une cravate.

— *I don't think that…* commence le frère du marié, qui ne termine pas sa phrase en voyant le regard réprobateur de Lily.

Tom sort de la salle de bain après s'être rasé. Un instant plus tard, Henry sort aussi sans avoir pris la peine de s'habiller, ignorant la présence de Lily dans la chambre. La jeune femme l'observe, puis dit:

— *Dude, what are you doing?*

Le grand roux se retourne d'un coup sec, surpris.

— *What the fuck are you doing in here?* crie-t-il en se renfermant dans la salle de bain.

— Sois pas gêné, j'ai même pas besoin de regarder, Sophie m'a déjà tout raconté! lui dit Lily.

— *I don't understand! Speak fucking English!*

Lily éclate de rire avant de prendre l'habit de Tom. Ce dernier cligne des yeux.

— *You did the same, didn't you?* demande-t-il.

— *Of course not! Come on! You know me. I would never do that*, répond-elle en souriant exagérément avant de lui lancer le pantalon de son habit.

L'étrange soirée de Mr Oliver

Ben plaque Ray contre la porte d'entrée de son appartement. Tout en l'embrassant, elle sent qu'il cherche ses clés dans les poches de son manteau. Quand il réussit enfin à ouvrir la porte, il pousse sa copine à l'intérieur, referme rapidement et reprend là où il avait laissé.

— *Hum, hum...*

Les deux tourtereaux se tournent et aperçoivent Oliver, attablé devant un bol de céréales. Il les regarde avec un sourire gêné. Ben salue son frère d'un ton qu'il veut décontracté et s'approche de lui.

— *Huh, weren't you supposed to be out tonight?* demande-t-il d'un ton plein de sous-entendus.

Oliver, sourire figé, lui fait de grands yeux.

— *I told you that my plans were cancelled...*

— *Oh! But I thought you would have done something else, so the flat would be...*

Ben ne finit pas sa phrase et reste planté devant Oliver. Les deux frères s'étudient. Oliver se racle la gorge et reprend la parole :

— *Well, you know, I live here.*

Il considère Ray, toujours plantée dans l'entrée. Elle préfère rester en retrait, car elle se doute très bien qu'une intervention de sa part ne ferait que rendre le tout encore plus gênant, comme si ça ne l'était pas assez. Oliver se concentre à nouveau sur Ben et baisse la voix.

— *You can't just kick me out!*

Ray lève les yeux au ciel. « Ils me prennent pour une conne ou quoi ? » Tandis que la tension monte entre les deux hommes, elle avance vers eux.

— *The girls are staying in tonight, I'm sure they'd like to see you !*

Oliver soupire et prend son manteau en marmonnant un « *whatever…* » avant de sortir. Ben échange un nouveau regard avec Ray avant de l'attirer vers sa chambre.

*

Tout en bâillant, Ray débarre doucement la porte de chez elle pour prendre un bon déjeuner avant d'aller au travail. Remarquant que les portes des chambres de ses deux amies sont fermées, elle tente de faire le moins de bruit possible dans la cuisine. Alors qu'elle prépare du café, elle entend le bruit familier de la douche. Elle fixe la porte de la chambre de Lily, bel et bien close, puis la porte de la chambre de Sophie, fermée elle aussi. Elle décide donc de boire son café debout, bien campée devant la porte de la salle de bain. Quelques minutes plus tard, elle voit sortir un jeune homme, une serviette autour de la taille.

— *Hi Oliver*, salue Ray, un grand sourire illuminant soudainement son visage.

— *Eeeeh, hi.*

— *Would you like some breakfast ?*

— *Eeeh, no, thanks*, répond Oliver avant de se diriger vers la chambre de Lily.

Il ne passe qu'une minute avant que Lily en sorte, prête à subir les moqueries de son amie.

— *Shoot*, commence-t-elle en se dirigeant vers la cafetière.

— Sur dix ?

— Six.

— *Fair enough*. Donc, toi, les faces en prisme rectangulaire… Ça te *turn on* ?

— Toi aussi, *man*. Toi aussi.

Thomas : la fascination

Lunettes de soleil sur le nez, foulard autour du cou, café glacé à la main : aucun doute, le printemps est arrivé. Avec le Kweb, les journées de congé sont rares, et Lily profite de la sienne avant d'aller s'enfermer dans le bar pour la nuit. Elle ne peut pas se plaindre de la façon dont les choses vont pour leur *business.* Aucune d'elles n'aurait cru que leur idée folle pourrait avoir un tel succès. Elles songent même à engager quelqu'un pour les aider.

Leur déménagement a fonctionné, leurs carrières progressent et ses amies, étonnamment, sont dans des couples qui, pour le moment du moins, semblent solides. Pourquoi le Kweb ne marcherait-il pas ?

Lily entre au hasard dans une boutique sur son chemin. Son décor déglingué et son odeur de vieux objets lui inspirent immédiatement le confort. Elle sourit à l'homme tatoué et aux longs cheveux gris debout derrière le comptoir. La jeune femme se laisse glisser entre les rangées de disques, de vinyles et même de vieilles cassettes audio. Lily aperçoit les dernières sorties de disques populaires, qui prennent peu de place dans la boutique. Ses escarpins vert pomme l'amènent jusqu'à la section qu'elle préfère. Les vieux classiques du rock des années 1970 défilent sous ses yeux ravis. Tandis qu'elle prend ses aises pour fouiner, le vendeur lui lance de son poste :

— *The best music ! They don't do that kind of music anymore, right ?*

Lily lève la tête et s'aperçoit qu'un sourire flotte sur ses propres lèvres. Elle acquiesce en souriant davantage. Elle reporte son attention sur un album de Janis Joplin qu'elle a entre les mains. Elle le repose et fouille dans le classement alphabétique désalphabétisé pour peut-être avoir la chance d'y dénicher *Abbey Road* ou *Sergent Pepper*, même si elle et ses deux copines les ont déjà bien au chaud, chez elles au Québec, en plusieurs exemplaires. Elle entend la cloche de l'entrée tinter et la vieille porte de bois se refermer au moment où elle est au milieu d'une décision très serrée entre The Doors et Led Zeppelin. Elle entend le vendeur saluer le nouveau venu, qui se dirige directement vers les vinyles, au fond de la boutique. Elle connaît ce regard mais surtout cette mâchoire, celle du type qui est venu égayer quelques-uns de ces après-midi morts au Kweb, le temps de prendre un café et de partir. Et ce visage et cette mâchoire s'étaient aussi pointés à la soirée d'inauguration. Mais ce dont Lily vient de se rendre compte, oubliant qu'elle fixe l'homme depuis deux bonnes minutes, c'est qu'elle ne lui a jamais adressé la parole. Les premières notes de *People Are Strange* que diffuse la vieille radio lui rappellent qu'elle a une décision à prendre. Cette chanson qu'elle affectionne beaucoup détermine son choix. Elle reprend donc son sac à main et va au comptoir pour payer sa compilation des Doors. Le vendeur regarde son sac, fait d'un disque vinyle.

— *Very good idea to kill boring music*, dit-il en passant l'achat de la jeune femme à la caisse. *This guy's really sexy*, ajoute-t-il en indiquant la pochette de l'album qu'elle achète.

Il entre le prix dans la caisse.

— *Seven pounds, Miss.*

Lily observe la photo de Jim Morrison qui, torse nu, la montre du doigt et la fixe d'un regard hypnotique.

— *You are so right, Sir*, acquiesce-t-elle en lui remettant la somme exacte.

Le vendeur l'informe qu'elle peut écouter son disque sur place si elle le désire et lui montre les postes d'écoute. Lily le remercie et va s'installer en sortant de son sac un cahier fripé et un crayon, objets qui ne la quittent jamais ces derniers temps.

— *Hey! What are you looking for, this time?* demande chaleureusement le vieil homme en retournant auprès de l'unique autre client, le trentenaire en Converse.

— *Some blues that I don't already have for my new gramophone.*

Lily, qui a stratégiquement choisi une place face aux deux hommes, prête une attention particulière à leurs paroles. « Comme ça, monsieur vient de s'acheter un tourne-disque ? »

— *That's right, you like blues a lot*, lance le vendeur en se mettant à chercher dans les rangées.

Le trentenaire jette un regard en direction de Lily, qui le fixe depuis un moment déjà. Sa chemise froissée dissimule un chandail blanc au collet troué. Sa tuque cache ses cheveux ébouriffés.

Elle détourne son attention et commence à écrire. Elle lève les yeux de temps à autre vers lui avant de se pencher de nouveau sur son cahier. Elle n'y inscrit que des mots qui lui passent par la tête, des mots que lui inspirent l'homme, l'endroit et la musique.

Henry passe « Go » et réclame 200 £

En se laissant bercer par le crépitement du bacon dans la poêle, les trois femmes tentent de se réveiller en silence. Ray observe Sophie, qui chantonne pour elle-même. Depuis le début de la relation de son amie avec le bel homme roux, Ray a remarqué certaines habitudes du couple. Une, surtout.

— Pourquoi vous êtes toujours ici ? demande-t-elle de but en blanc en prenant une cuillerée de beurre d'arachide à même le pot.

— Ben là, je suis chez nous, rétorque la brunette.

Hier, elles ont passé la soirée entre elles avec deux bouteilles de vin avant qu'Henry arrive avec deux autres bouteilles et qu'ensemble ils vident le frigo des bières restantes. Il est midi, et les trois femmes profitent de leur seul jour de congé ensemble. Elles ont décidé il y a quelque temps que si les gens veulent boire du thé ou du café le lundi, qu'ils s'en préparent eux-mêmes. Comme elles, en ce moment.

— Oui, mais t'as deux colocataires ! Lui, y doit ben habiter tout seul, il a l'air du genre solitaire.

— Je sais pas.

— Tu sais pas ? répète Lily sans comprendre.

— Je suis jamais allée chez lui, marmonne alors Sophie en sortant trois gigantesques tasses de l'armoire.

— Hein ? s'écrient Ray et Lily, interdites. En un an ?

*

— C'est quoi son nom ? demande Ray en versant un peu d'alcool dans leurs tasses de café.

— Henry, épaisse !

— Non ! Son nom complet !

— Euh, attends, là… Euh, je sais pas.

— Tu sais pas son nom ?

— … Je sais qu'il porte le nom de son père.

— OK, c'est quoi, le nom de son père ?

— Euh, David ou Charles, je pense.

— Pas son prénom, son nom de famille !

— C'est ça ! Le prénom de son père, c'est Albert.

— Famille de fuckés…

— Attends, je l'ai ! C'est Edward !

— Bon ben, on est bien parties, on a trois choix : Charles, David ou Edward, c'est pas comme s'ils se ressemblaient !

— Ils ont tous un A.

— Merci Sophie. Lily, google-les tous, ordonne Ray en leur rendant leurs tasses.

*

— C'est-tu le créateur de *Windows Vista* ?

— Je pense pas…

— Ici, j'ai un certain Henry, d'une grande famille… africaine, termine platement Lily. Ça doit pas être lui.

J'en ai un autre. Henry, grande famille anglaise, dans le comté de York, avec une fortune évaluée à… wô.

— À wô ? demandent en chœur Sophie et Ray.

— Wô… vraiment.

— Lily…

— OK… Fortune personnelle évaluée à 500 000 livres.

— Hostie que tu me niaises, s'alarme Sophie en se rapprochant de l'ordinateur.

— Écoute, c'est pas si pire, si on se fie à l'évaluation pour toute la famille, qui est de 27 millions de livres, ajoute Lily sur un ton badin.

Après un silence partagé pendant lequel elles prennent conscience de l'énormité de cette révélation, Sophie soupire et tente de raisonner.

— Il a pas l'air d'avoir autant d'argent…

— Il a l'air d'avoir de l'argent, mais pas tant que ça, la reprend Ray.

— C'est sûr qu'on va au resto, il m'offre des petits cadeaux…

— Quel genre de petits cadeaux ? s'enquiert Lily, sa curiosité prenant le dessus.

Sophie regarde ses deux amies avant de partir en courant vers sa chambre pour revenir avec une multitude de « petits cadeaux » : bijoux discrets, cartes professionnelles de propriétaires de restaurants, parfum, etc.

— Google-moi ça !

*

— Ray, calcule donc ça, pour voir.

Lily, toujours devant l'ordinateur, vient de terminer ses recherches. Sophie fait les cent pas, ne sachant pas trop si elle veut entendre le résultat.

— Donc… on a dit un parfum *Miss Dior Chérie*… un sac à main Burberry… récapitule la rouquine.

— Il connaît ses classiques, quand même ! le défend Sophie en prenant ledit sac.

— Ses classiques à prix raisonnable, si on compare ton sac à tes boucles d'oreilles, qui sont le double du prix! souligne Ray.

— Je vais les mettre plus souvent, je pense, souligne la jeune femme, mal à l'aise.

— ... et un bracelet, pour un total de...

— 1 075 livres, sans compter les dépenses pour les sorties et les restaurants! Pis toi, qu'est-ce que tu lui as acheté pour sa fête, déjà?

— Une alarme pour ses clés, parce qu'il les perd tout le temps. Faque t'as la petite manette pour partir l'alarme des clés quand tu sais pas où elles sont... répond Sophie d'une petite voix. Pis j'ai fait un gâteau. Je l'ai pas acheté, je l'ai fait, le tabarnak de gâteau!

— Ouf, une chance que le gâteau était là. Sans ça, t'aurais eu l'air d'une vraie folle, ironise Lily.

Thomas: la frustration

Dans un *cigar room* du centre-ville de Londres, Henry, assis au bar à la droite de Lily, fait rouler un cigare entre ses doigts. Assises plus loin, Sophie et Ray sont en pleine discussion avec Ben. Les haut-parleurs crachent la voix de Tom Waits tandis que la petite rousse, le visage fermé, fixe un point à l'extrémité du comptoir. « C'est rendu une maladie ou quoi? »

— J'ai même pas besoin de le voir dans ma soupe, je le vois déjà partout ailleurs, grogne Lily en prenant une gorgée.

— *What?* demande Henry sans grand intérêt.

— *Nothing.*

Lily continue d'observer le trentenaire en Converse, qui discute avec un ami et la barmaid. Cette dernière ne les lâche pas depuis déjà quinze minutes et rit trop fort. Elle ne semble pas se rendre compte que le bar se remplit considérablement et que des clients attendent. Lily veut avoir l'air détaché et afficher un sourire désinvolte, mais, assise là, avec l'homme dans son champ de vision, elle en est incapable. Déterminée à passer une bonne soirée, elle avale d'un trait le reste de son verre, se lève et fait signe à ses deux amies de la suivre. Lily se laisse tomber dans un des divans défoncés qui, avec deux tables de billard, séparent la piste de danse du reste du bar. L'endroit est très achalandé en prévision de la prestation du groupe qui se prépare sur scène. Ayant perdu de vue l'homme en question, Lily commence à se détendre et rigole de bon cœur.

— Plus joyeuse ? demande Ray, assise à ses côtés, d'un air entendu.

— Quoi ?

— Penses-tu que je l'ai pas vu ? Et que je t'ai pas vue ? Cet homme-là te rend *down*, c'est pas croyable. Même le jour de ma fête… c'est pour dire ! finit-elle en essayant de lui rendre le sourire.

— C'est que… j'haïs ça ! J'aimerais mieux pas le voir du tout que de le voir tout le temps.

— Wow. Il te fait de l'effet pis c'est vrai. Tu deviens presque poétique, lance Ray.

Lily sourit ironiquement.

— Pas ce soir. J'ai décidé, pas ce soir.

Lily se lève d'un air volontaire et se dirige vers la piste de danse au plancher déverni. Le groupe est bon, la fumée vole bas, l'air est humide, et la piste, petite. La nuit est déjà bien avancée lorsque, pour échapper à l'atmosphère étouffante, Lily accompagne Ben et Henry qui sortent prendre l'air.

Compte tenu de la belle température, le trottoir déborde de gens devant le bar défraîchi. Lily, son verre à la main, est tassée entre Ben et Henry. Tandis qu'elle rit aux anecdotes de Ben, elle sent soudainement une main se glisser doucement dans le bas de son dos et un homme passer la tête entre elle et Henry. Elle a à peine besoin de se retourner pour reconnaître l'homme qui reste volontairement près d'elle, son bras enlaçant maintenant presque sa taille. La jeune femme tourne un peu plus la tête pour observer de près le visage de l'homme. Il lui sourit en la regardant dans les yeux quelques secondes avant de tourner son attention vers les deux hommes :

— *I'm sorry, guys, my phone's dead, do you happen to know what time it is ?* demande-t-il avec désinvolture et avec cet accent qui fait fondre Lily encore davantage.

Lily croise les yeux d'Henry, qui répond au trentenaire en Converse. Ce dernier le remercie d'un sourire. Tandis qu'il part, Ben, sourire en coin, demande à Lily :

— *You seemed acquainted with him.*

— *Kind of, yes*, répond-elle en ne sachant plus trop sur quel pied danser.

*

Lily danse, collée au corps du trentenaire en Converse, tous deux faisant fi de ce qui les entoure. Le visage de l'homme caresse celui de Lily, qui s'enivre de son souffle chaud dans son cou et de ses mains sur sa taille.

— *Who's that guy ?* crie Ben à Ray par-dessus la musique.

Pour seule réponse, Ray hausse les épaules ; en réalité, elle ne connaît absolument rien de cet homme, pas même son nom.

— *We need to watch out for her.*

— *Oh, that's OK, she's a big girl. And she already has big brothers to take care of her.*

— *Really ?*

— *Yes : Sophie and I !* hurle Ray pour que le son de sa voix parvienne à l'oreille de son copain.

— *You're younger than her.*

— *Technically, yes, but not anymore.*

Ben hausse les sourcils et lance un autre regard en direction de l'homme qui enlace la jeune femme.

« L'enfant cherche ses mots, le vieillard ne les trouve pas »

— *Hi, Mr Thompson !*

— *Hello, young lady !*

— *How are you today ?*

— *I'm good. Little bit tired, but good.*

— *And how is Gorky ?*

— *She's good too, thank you*, dit le vieil homme en baissant les yeux vers son chien.

— *Always good to hear ! Your usual Wednesday tea ?*

— *Absolutely.*

Lily fait dos au comptoir pour préparer le thé du vieillard, qui prend le journal et commence à le feuilleter. Il commente les nouvelles qui attirent son attention. Lily n'a qu'un autre client : son habituel maniaque de lattés et d'informatique. Elle se concentre donc sur Mr Thompson. Elle dépose la tasse de thé fumante devant lui alors qu'il commence les mots cachés du journal. Lily le regarde faire, puis décide de prendre un crayon sous le comptoir et de l'accompagner dans son activité.

— *Banana… banana… mmm… banana.*

— *I'll find it before you*, la nargue le vieil homme.

S'ensuit une féroce compétition intergénérationnelle pour trouver le maximum de mots le plus rapidement possible.

*

— Lily, pourquoi t'as les mains pleines de marques de stylo ?

— Ah, ça, c'est Mr Thompson. Il est… très compétitif !

Ray s'apprête à ranger le journal qui est toujours sur le comptoir. Elle voit la page de mots cachés complètement barbouillée. Elle se tourne vers son amie qui finit de laver la vaisselle, un grand sourire aux lèvres.

— Est-ce que j'ai besoin de te poser des questions ? Lily lui fait signe que non avec désinvolture.

Something Classy

Elles avaient déjà trop tardé à engager quelqu'un pour les aider, elles qui devaient jongler entre le Kweb et leurs emplois respectifs. C'est donc depuis tôt le matin ce lundi-là, dans la chaleur d'un après-midi d'été, que les trois Québécoises passent des entrevues, chacune un café glacé à la main.

— *So, you've never worked in a café before, right ?* demande Ray pour la troisième fois à la candidate assise devant ses deux complices et elle-même.

Lorsque la jeune femme – qui a postulé pour un emploi à temps plein sans même avoir touché à une machine à café de toute sa vie – sort de la petite terrasse, un grand homme d'origine asiatique y entre. Il lui fait un signe de tête poli avant de se tourner vers les trois amies, qui se lèvent pour le saluer. Le candidat, qui doit avoir aux environs de quarante ans, offre une poignée de main franche à chacune des propriétaires.

— *Hi ! I'm Mathéo.*

Il est souriant et porte une tenue sobre mais de bon goût. Il se dit barman et barista. Lily examine minutieusement son CV avant de hausser les sourcils. Il est français.

— Vous avez travaillé au Café de la Paix ? lance-t-elle.

— Ah, j'ai toujours trouvé que les Français faisaient de bons cafés, enchaîne Ray.

— Vous êtes francophones ? leur demande Mathéo.

— Montréal.

— Paris.

— Enchantées !

— Est-ce indiscret de vous demander pourquoi vous êtes à Londres ? demande Sophie avec intérêt.

— J'ai suivi mon copain qui voulait voir l'Angleterre. Il est reparti, je suis resté. Et vous ?

— On est venues, on a aimé, on est revenues, on est restées.

— Eh bien, laissez-moi vous dire que vous avez fait quelque chose de très bien avec cet endroit, continue Mathéo, de plus en plus à l'aise avec les trois femmes.

— Merci. Moi, c'est Ray.

— Lily.

— Sophie.

27 mai

Debout sur la toilette, les mains sur les hanches, Lily dit pour la quatrième fois :

— On sera jamais capables !

Ray approuve d'un hochement de tête et ajoute :

— On a besoin d'aide, je pense.

— Quoi ? Je vois rien, qu'est-ce qui se passe ? crie Sophie, qui tente d'y voir clair parmi tout le tissu blanc encombrant la pièce et qui commence à paniquer.

— Camille ! hurle Ray à l'intention de la sœur de la mariée.

Quelques instants plus tard, la porte de la salle de bain s'ouvre sur la jeune femme, qui a revêtu une jolie robe bustier jaune.

— Belle robe, note Lily.

— Merci, vous autres aussi, lui répond gentiment Camille, sans pour autant les regarder.

Son regard est posé sur la future mariée au centre de la pièce, à moitié nue, la robe toute de travers.

Camille observe la robe de sa sœur avec scepticisme. Elle prend le temps d'admirer la profusion de tissu, le détail des motifs dorés et le lacé du dos.

— On a pas assez de mains pour la quantité de tissu, fait remarquer Ray.

— Vous me niaisez. Vous me *fucking* niaisez.

Les trois amies éclatent d'un rire incontrôlable. Camille entreprend alors de délacer le corset dans le dos de Sophie pour tenter de remonter la robe exactement là où elle devrait s'appuyer sur son buste.

« On ne guérit d'une souffrance qu'à condition de l'éprouver pleinement »

La brise froide d'octobre s'infiltre à l'intérieur de l'appartement au moment où Sophie ouvre la porte. Une bouteille de vin rouge sous le bras, elle remonte le collet de sa veste, puis descend les escaliers avec précaution pour se rendre à la rue, là où un taxi attend son groupe d'amis. Ray et Lily suivent de près, elles-mêmes talonnées par Ben, Henry et nul autre qu'Oliver. Les jeunes femmes se pressent. À quelques marches du trottoir, le talon d'un des souliers de Lily se coince dans une brèche. Avec un soupir d'agacement, Lily appelle Ray et lui tend sa bouteille de vin pour reprendre le contrôle de sa chaussure. Après plusieurs essais infructueux, énervée, elle tente un coup plus puissant mais perd l'équilibre et déboule jusqu'au sol. Dans sa chute, elle se tord violemment le genou. Immobile par terre, elle lâche un hurlement de douleur. La réaction du reste du groupe ne se fait pas attendre : tout le monde se tord de rire.

— Désolée, Lily, je trouve que ça manquait de réalisme ! s'esclaffe Ray.

— Toi aussi, tu trouves, hein ? Faudrait que tu nous recommences ça, rétorque Sophie, les bras croisés devant Lily étalée sur le trottoir.

Ray et les trois hommes, toujours dans la cage d'escalier, ne font que rire davantage lorsqu'un second cri de douleur retentit.

— *What are you doing? Get up! You're in the way!* dit Ben en riant avant d'enjamber Lily.

Elle tente de le frapper du pied lorsqu'il passe près d'elle, mais elle a si mal qu'elle en a le souffle coupé.

Ray et Sophie échangent un regard inquiet avant de se pencher sur Lily, tandis qu'Oliver s'évertue maladroitement à la relever.

— Lily, lève-toi et marche, déclare Ray d'un ton solennel.

— Mange d'la marde, répond Lily du même ton.

— Gang, son genou enfle ; Oliver, touche pus à rien, ordonne Sophie, de plus en plus inquiète.

Henry, resté silencieux jusque-là, contourne Sophie et Ray en bousculant Oliver pour soulever Lily de terre et la porter dans le taxi. Il dépose la jeune femme sur la banquette arrière et referme la portière juste à temps pour couper un autre cri de douleur perçant. Sorti de sa voiture, le chauffeur, lui aussi inquiet, obtempère au « *the nearest hospital* » d'Henry, qui s'engouffre à son tour dans le taxi.

Ray n'a pas pris son café ce matin

Ray se réveille un peu désorientée. Elle s'assied dans son lit et observe la chambre toujours plongée dans la pénombre. Il y a des vêtements par terre, comme chaque fois qu'elle vient passer la nuit ici. La chambre est petite et le lit occupe presque toute la place. Elle sort quelques orteils d'en dessous des couvertures, un à un, puis tout son pied droit. Jugeant qu'il fait suffisamment chaud pour s'aventurer hors du lit, elle glisse ses pieds sur le sol et enfile la première chemise qu'elle trouve en chemin. Elle passe la tête dans l'embrasure de la porte et aperçoit Ben, quelques mètres plus loin, dans la cuisine. Elle a eu le malheur, un jour, de lui dire qu'elle aimait se réveiller et trouver le café déjà prêt. Pire, il lui préparait aussi le petit-déjeuner, parfois. Il lui avait fallu quelques semaines d'ajustement, le temps qu'il comprenne que des œufs frits, le matin, étaient trop lourds pour ses habitudes de Nord-Américaine et que la plupart du temps des céréales lui convenaient parfaitement. Mais ce matin-là, il a mis le paquet : croissants, marmelade et café au lait.

— Oh ! s'exclame Ray.

Ben finit de placer les assiettes et l'intercepte pour la prendre dans ses bras.

— *Good morning !*

Il a à peine le temps de l'embrasser qu'elle tend déjà les mains pour saisir son bol de café.

— Toi, un jour, tu vas avoir quelque chose à me demander, pis je m'en rendrai même pas compte ! dit-elle en riant avant de rejeter d'une main ses cheveux vers l'arrière.

Il la regarde pendant plusieurs secondes, tentant tant bien que mal de traduire ce qu'elle vient de dire. Ray le lui redit en anglais pour lui faciliter la tâche. Elle s'assoit et prend un croissant. Ben imite ses gestes. Instinctivement, leurs pieds se rencontrent et leurs jambes se croisent sous la table.

— *I have nothing to ask. Only something to propose to you.*

— *What is it ?*

Ray sourcille au mot *propose*, mais, intriguée, elle plisse les yeux et attend qu'il poursuive.

— *I wanted to know if you would like to move in with me.*

Ray avale de travers et s'étouffe férocement. Ce n'est pas une demande en mariage, mais ce n'est pas loin d'en être une, du moins pour elle.

— *If I want to… move in with you ? Like, living permanently here ?* dit-elle en indiquant du bras l'appartement qu'il partage avec son frère.

Ben se raidit, visiblement ébranlé. Il ne prévoyait pas des cris de joie, plutôt un sourire, voire une remarque cynique, mais pas ça.

— *What do you mean, permanently ?*

— C'est pas ce que je voulais dire… tente Ray, légèrement agressive.

— *Come on! It's not like you're in prison with me!*

Il la regarde, complètement éberlué. Il s'est lancé dans une relation pour la première fois depuis des années, et elle ne veut pas de lui?

— *I thought you would love the idea. I...* dit Ben en déposant sa tasse de café sur la table, cette fois-ci d'un ton sans la moindre émotion.

Ne sachant pas comment faire face à cette situation, Ray sent les larmes monter. Elle essaie de les assécher et tente de se maîtriser. Elle n'est pas prête, elle ne veut pas le blesser, mais elle ne peut pas lui dire oui uniquement pour lui faire plaisir. Elle finit par se lever et retourne dans la chambre. Elle revient habillée dans un temps record, son sac à la main. Ben ne bouge pas et l'observe se diriger vers la porte, puis rebrousser chemin et revenir tout près de lui.

— *Ben, I love you. You know I love you...* sa voix se brise un peu, sous le coup de l'émotion. *This is just too fast for me. Or I don't know. I just... no.*

Elle se tourne, avance vers la porte et, au moment de tourner la poignée, elle baisse le bras et le regarde une dernière fois.

— *Call me tonight.*

« *I'm going to make him an offer he can't refuse* »

Sophie termine calmement de monter la fermeture éclair de sa robe lorsque la sonnette de la porte retentit. Elle entend Ray ouvrir à Henry et sort de sa chambre pour aller les rejoindre dans le salon, sourire aux lèvres. Plus tôt dans la journée, il l'a invitée à souper. Sophie s'arrête sec lorsqu'elle voit son copain dans l'entrée. La petite brunette explose:

— Tabarnak! Je le savais que j'aurais dû lui demander!

Sophie tourne les talons en enlevant déjà la ceinture de cuir qui retient la large robe de laine qu'elle a choisie. De retour dans sa chambre, elle sort sa robe bustier noire, qu'elle va agencer avec son collier de perles, tandis qu'Henry l'attend toujours dans son complet ultra chic. Ray s'appuie au chambranle de la porte en souriant :

— Viens donc me faire croire que tu pensais vraiment qu'Henry t'emmènerait pas dans un resto *fancy* ?

— Une fille peut bien rêver ! rit Sophie en changeant de chaussures. Tu sais pas ce que c'est de mettre une robe pas de manches en plein automne.

— J'avoue que t'es à plaindre, surtout si on te compare à Lily, la nargue Ray gentiment.

Sophie se tourne vers Ray en soupirant :

— C'est chien, ça… Tu veux me faire sentir coupable, c'est ça ?

— Pas du tout : je trouve sincèrement que tu es à plaindre par rapport à une fille qui est assommée par les analgésiques en ce moment et qui se fait garder par ses amies depuis trois jours parce qu'elles ont trop peur qu'il lui arrive quelque chose si elle reste toute seule droguée comme ça, répond Ray avec ironie.

La brunette la quitte en lui disant de bien veiller sur Lily. Une fois seule, Ray, assise au salon, cherche désespérément quelque chose à écouter à la télévision. Elle n'a pas envie de travailler sur son article qui, de toute façon, est presque fini et ne doit être remis qu'en fin de journée le lendemain. Elle ne veut surtout pas passer la soirée à fixer son téléphone en espérant des nouvelles de Ben. En ce lundi, il n'y a rien d'intéressant. Une fois réinstallée dans le divan avec une boîte de biscuits, Ray a une idée de génie : le lundi, rien ne peut être aussi captivant que ce à quoi elle a pensé.

*

Ray trinque une fois de plus avec Mathéo. Les deux amis sont au salon à vider la bouteille de scotch qu'a apportée le grand Asiatique. Ce dernier raconte le *punch* de son histoire tandis que Ray, soûle, éclate de rire. Alors qu'ils s'ordonnent mutuellement de parler moins fort pour ne pas réveiller Lily, Mathéo a une soudaine envie de regarder un film.

— On écoute que trop *2001 : L'Odyssée de l'espace* ! s'exclame-t-il, déjà debout pour glisser le DVD dans le lecteur.

Ray applaudit à l'initiative de son ami. Le son au niveau le plus élevé, la musique explose. Captivés, ils attendent le début du film avec impatience. Une voix étouffée les ramène sur terre précipitamment alors que les images commencent à peine à défiler :

— Pas les singes ! Pas les singes ! crie Lily de sa chambre en reconnaissant les cris des primates.

Ray et Mathéo se regardent, se sentant coupables d'avoir oublié la présence de la rouquine dans la pièce d'à côté. En gloussant, Mathéo éteint l'appareil.

— Mais j'ai vraiment envie d'écouter ce film ! Qu'est-ce qu'on fait ?

— Euh, dans ma chambre ? Sur mon ordi ?

— *You're a bloody genius*, répond Mathéo.

*

Alors que la soirée est encore jeune, Ray est profondément endormie dans son lit aux côtés de Mathéo. Ce dernier, mal à l'aise et trempé de sueur, se réveille. Trouvant la chaleur insupportable, il décide de se rendre à la salle de bain pour se rafraîchir. Devant le miroir de l'évier, Mathéo repère la baignoire à sa gauche. Il la fixe quelques secondes, puis s'y couche pour apprécier la fraîcheur de la surface.

*

Le cellulaire de Lily émet une chanson trop joyeuse pour l'état dans lequel elle se trouve. Machinalement, elle répond. Oliver est au bout du fil.

— *Really? OK, wait a sec.*

La jeune femme se lève de peine et de misère pour se rendre jusqu'à la porte d'entrée et ouvrir. Oliver, de l'autre côté, lui sourit. Lily boite jusque dans son lit sans omettre de se cogner la jambe à toutes les occasions. Oliver la suit ; il est venu prendre de ses nouvelles. C'est plutôt Lily qui prend la parole.

— *I'm so sorry. I just...* je sais pas, là. Je sais comme pas trop quoi dire. *It's just... no. It's not serious! Not like Sirius Black, you know, but like serious, seriously?*

Lily pose ses yeux vitreux sur Oliver pendant quelques secondes avant de repartir dans les vapes.

— Je m'excuse, je me sens mal, mais je suis comme obligée de te le dire. *But, don't forget, it's all my fault. It... it...* ouf. *I'm tired.*

Lily, assise dans son lit, se laisse soudainement tomber pour se blottir dans ses draps, dos à Oliver. Toujours debout en silence, le jeune homme la regarde sans comprendre ce qui vient de se passer.

— *Lily?* demande-t-il doucement en se penchant sur la jeune femme endormie. *Lily?*

Oliver sursaute en entendant une voix masculine avec un fort accent français provenant de la salle de bain :

— *She's dumping you! Leave!*

*

Ray, les yeux vides, fixe la tasse de café qu'elle tient à deux mains. Son regard se déplace vers l'armoire, mais elle décide qu'il est trop exigeant de se lever de sa chaise pour aller chercher du sucre. Résignée, elle porte la tasse à ses lèvres, grimaçant à la première gorgée amère. Sophie entre à son tour dans la cuisine.

— *Hey*, dit-elle en apercevant Ray.

Comme seule réponse, deux yeux pochés se tournent vers elle.

— Ouin. Dure soirée hier ?

— ...

— En passant, pourquoi Mathéo est couché dans le bain ?

La blonde relève enfin la tête et semble réfléchir difficilement.

— Je l'ai trouvé là ce matin. Il m'a dit, et je cite, que « ça lui rappelle ses années de débauche universitaire ».

— Mais y a pas été à l'université, fait remarquer Ray.

— Je sais, répond simplement Sophie en haussant les épaules. Je suis allée aux toilettes. Je l'avais pas remarqué avant que je m'assoie et qu'il ferme le rideau en disant, et je cite encore, « je t'adore, *sweetie*, mais ça briserait la magie entre nous ».

— C'est respectueux.

— Oui, très.

Les deux filles trinquent avec leurs tasses de café et, muettes, restent assises à profiter du soleil d'octobre qui pénètre dans la cuisine. Mais leur silence du matin ne dure pas très longtemps, car Lily entre dans la cuisine, si décoiffée qu'on discerne à peine l'élastique à cheveux censé retenir ses boucles rousses. Elle reste immobile à l'entrée de la pièce et observe ses amies.

— Quoi ? demande Ray, presque inquiète devant l'air grave de Lily.

— Je comprends plus rien, soupire la jeune femme. Ça m'a pris tout mon petit change pour me lever de mon lit et aller aux toilettes toute seule. Juste d'être debout, j'ai l'impression de vivre dans un *rave*. Pis là, je viens d'imaginer Mathéo qui dort dans le bain. Je suis tannée d'être sur les médicaments… finit-elle en traînant son pied valide pour se rendre jusqu'à la machine à café.

Henry prend l'avion

Encore ce matin, en chemin pour le travail, elle ne peut pas s'empêcher de regarder sur son téléphone l'un des courriels impertinents que lui envoie régulièrement une de ses collègues. Contrairement à l'ordinaire, ce n'est pas un chat qui danse mais bien une nouvelle qui lui est personnellement adressée. La brunette pousse un cri et son visage devient livide tout d'un coup. Elle sent son cœur tomber dans ses talons et faire une flaque sur le trottoir. Puis, elle réalise qu'il y a vraiment une flaque par terre, puisqu'elle a laissé tomber son café. Comment a-t-il osé lui mentir ? Il lui avait dit qu'il partait une semaine en Australie avec son frère ! Elle ne se fâche pas souvent, mais… Il va en entendre parler ! La fête de sa célèbre ex-copine en Afrique du Sud ? Il aurait très bien pu le lui dire, elle aurait compris, elle aurait accepté… avant d'aller retrouver ses deux complices pour se faire dire qu'elle est trop gentille. Au bout de quelques verres, elle l'aurait sans doute appelé pour lui annoncer, un peu honteuse, qu'elle n'était plus d'accord. Il la prenait vraiment pour une fille à qui il pouvait raconter n'importe quoi ! Pas de boulot ce matin : elle avait une conversation très urgente au programme.

*

— Sophie ? T'étais pas partie travailler ? demande Ray, un café à la main, en voyant la brunette franchir la porte d'entrée en coup de vent.

Sophie passe à côté d'elle comme si elle n'était pas là, debout au milieu du salon, en pyjama et avec un léger reste du maquillage de la veille.

— Sors la vodka ! Je vais réveiller Lily, faut que je vous parle, lui répond son amie à partir de la cuisine.

— Sophie, il est 9 heures du matin, pis Lily a fini au bar à 2 heures hier…

— OK, sors la vodka et le jus d'orange, mais je réveille Lily quand même !

Quelques minutes plus tard, elle leur a résumé la situation.

— T'es sûre que c'est lui ? demande Lily en observant la photo d'Henry sous tous les angles.

Sophie observe son amie sans prendre la peine de lui répondre. Sous ce regard, Lily remet le téléphone cellulaire sur la table et lève les mains en signe de reddition.

— Tu dois lui demander des explications… avant de le tuer, conclut Ray avec discernement.

— Il faut que tu le confrontes, reprend Lily en bâillant, le nez dans son bol de café et un œil sur son cellulaire, seule preuve tangible qu'elles aient contre Henry. En plus, la fille à côté d'Henry a l'air *stoned* là-dessus, renchérit-elle.

— Il a l'air moins pire qu'elle. Tu dois avoir une bonne influence sur lui ! ajoute Ray en diluant subrepticement la vodka que Sophie s'est versée avec du jus d'orange.

— Si on veut, mais mettons qu'en ce moment, je me sens assez ordinaire en la regardant, soupire la brunette en se débarrassant rageusement de son veston.

— QUOI ?

Ray et Lily observent encore une fois la photo sur l'écran et ne comprennent pas ce que Sophie peut trouver à cette riche héritière aux cheveux décolorés et sans doute sous l'effet de drogues, à part son argent, peut-être.

— Les filles ! On va pas se cacher qu'elle est riche, grande, blonde, pis vous avez vu ses seins ? lance Sophie avec verve.

— OK, *time out* ! Toi, tu es intelligente, gentille, drôle, indépendante, tu as un métier que tu adores… réplique Ray sur le même ton.

— Et tu es québécoise ! En plus d'avoir deux seins proportionnés. Petits, mais proportionnés, continue Lily en haussant le ton. Tu vas pas le laisser te faire ça ? Avec une fille aux seins mal refaits ! Au pire, tu lui balances un coup de poing sur la gueule !

— C'est pas dans mes habitudes de me battre, répond Sophie, sarcastique.

— C'est pas non plus dans tes habitudes de laisser les autres te mentir de même ! rétorque Ray, insultée.

Sophie aussi est vexée et fâchée par l'attitude d'Henry. Mais par-dessus tout, elle se sent trahie et terriblement déçue. Elle décide de faire taire la partie la plus sensible d'elle-même et de se laisser gagner par la colère. « C'est beaucoup plus facile comme ça », se dit-elle en se levant.

— Ouin… *Watch out*, mon grand, j'arrive.

— J'aime ça quand tu parles comme ça, affirme Lily en serrant les épaules de son amie.

— Il est supposé arriver aujourd'hui. Je vais *checker* l'heure d'arrivée de son vol, il doit pas y en avoir quinze mille qui arrivent d'Afrique du Sud ! Ça vous tente d'aller faire un tour à l'aéroport ?

*

Il y a foule à l'aéroport de Gatwick. La brunette a le visage dénué de toute émotion. Ses copines attendent patiemment à ses côtés, Lily accrochée à sa canne et à Ray en raison de son genou immobilisé. Un homme roux vient tout juste d'entrer dans le terminal et, déjà, il attire les regards. Le visage de la brunette se fait encore plus froid, ses yeux se plissent et un air déterminé s'y dessine. L'homme l'aperçoit. Il est tout d'abord surpris, puis il se dirige droit sur elle, un charmant sourire aux lèvres.

— *Hey, sweetie*, dit-il en faisant mine de vouloir l'enlacer.

Elle recule, glaciale.

— Allô.

— Ça va ? fait-il, étonné, avec un fort accent anglais.

« Ne pas se laisser attendrir. »

— Très bien. Toi, bon voyage ?

— *Yes !*

« Il faut attaquer en premier afin que la ruse de l'adversaire ne fonctionne pas. »

— Il faisait beau en Afrique ?

Petit air innocent. Incompréhension feinte.

— *In Africa ? What are you... ?* demande-t-il, nonchalant.

— Henry, prends-moi pas pour une épaisse ! s'énerve Sophie en haussant le ton.

Inévitablement, des têtes se tournent. Henry préfère éviter un scandale.

— *OK, let's talk outside...* poursuit le Britannique, soudainement sérieux, en mettant sa main dans le dos de sa compagne pour l'inviter doucement à sortir de l'aéroport avec lui.

La jeune femme repousse sa main avec rage et se met à marcher plus vite pour le dépasser. Ray lui emboîte le pas tel un garde du corps, et Lily peste contre sa canne en tentant de suivre la cadence, sans un regard pour l'homme.

Henry tente un début d'explication, mais Ray prend les devants et hèle un taxi.

— Toi, viens-t'en ! dit la brunette en l'empoignant par le devant de sa chemise pour le faire asseoir sur la banquette arrière avec elle. Ray prend place à l'avant et Lily ferme la marche en se laissant tomber sur la place libre, derrière.

— Pourquoi tu me l'as pas dit ?

L'assurance de Sophie est tout à coup moins forte alors qu'elle est collée contre lui dans cette minuscule voiture.

— *I don't know. She's my ex... and I couldn't refuse... She's from an important family ! It was like an... obligation !*

Il a l'air vraiment désolé et surtout dépassé par la situation. Elle n'a pas envie de le ménager et son sang latin bout dans ses veines.

— *And I'm not supposed to be bothered that you LIED TO ME ?*

Elle crie, ce qui le déroute complètement; il ne l'a jamais vue dans cet état. Deux paires d'yeux bruns et verts les regardent, inquiets. Le chauffeur écoute lui aussi.

— *I am your girlfriend! You know what that's supposed to mean?* Est-ce que tu sais comment je me suis sentie en te voyant sur Internet ce matin? *You lied to me, asshole!*

Sur ce, elle lui lance son cellulaire au visage au même moment où Lily le frappe « accidentellement » avec sa canne.

Sur la photo, il peut voir une blonde plantureuse dans un minuscule maillot de bain qui rit en serrant contre elle un homme roux, lui aussi en maillot. Henry regarde Sophie. Elle semble sur le point d'éclater. Mais ce qu'il trouve inquiétant, c'est qu'il n'arrive pas à déterminer si ce qu'il lit sur ce visage habituellement si calme est de la tristesse ou de la colère. En fait, il devrait y voir de l'amertume et de la trahison.

— *Hum... I'm very sorry*, lâche-t-il sincèrement.

— Ouin, c'est un peu facile, mettons.

— *I know. Are you still angry?*

— Oui. T'as besoin d'air, lui répond Sophie en faisant un signe de la main vers l'extérieur de la voiture.

Comprenant l'intention de son amie, Ray demande au chauffeur d'arrêter sur le bord de la route.

« Les doutes, c'est ce que nous avons de plus intime » – Thomas: l'approbation

Lors d'une des nombreuses soirées jazz au Kweb, les trois propriétaires veillent à ce que les gens boivent bien et beaucoup en profitant du spectacle. Cependant, Ray veille d'un œil torve. Assise, jambes et bras croisés, elle lorgne le verre qui contenait son quatrième Bloody Caesar il y a à peine quelques secondes. Se disant qu'un cinquième serait peut-être de trop en un si court laps de temps, elle reporte son attention sur ses deux amies, elles aussi assises au bar, regardant Mathéo manier les bouteilles comme un dieu. Ray, déjà arrivée au fond du baril, entraîne peu à peu Sophie avec elle.

— On est vraiment censées comprendre comment ça marche, un gars ? Ah, pis si y est pas content, qu'il retourne voir ses autres connasses !

— Mais Ray, t'es la seule connasse qu'il connaît ! réplique Lily avec un regard vers Mathéo, qui lui signifie son approbation.

— Mais ta gueule ! Ferme ta gueule !

— Mais ton chum te ment pas pour une blondasse... y veut juste *fucking* habiter avec toi, Ray !

— Merci de soutenir la cause des blondes ! À ce que je sache, un taux d'alcoolémie élevé ne rend pas daltonienne, Sophie. Je suis blonde. Pis il m'avait promis de me rappeler. Je lui avais fait promettre, pis j'ai pas eu de nouvelles depuis.

— *Come on*, les filles... ose Lily.

— Toé, *fuck you !* T'as un hostie de beau gars qui te bave dessus depuis je sais pas combien de temps pis t'es pas foutue d'aller le voir ! Vous vous voyez partout, c'est presque une blague ! Tu reviendras quand ça fera deux ans que tu sors avec pis qu'il va vouloir habiter avec toi ! lance Ray en direction de Lily.

— Ray, tu deviens vulgaire quand t'es soûle pis frustrée, rigole son amie.

— Je m'en câlisse ! C'est quoi son hostie de problème de vouloir bâtir quelque chose avec moi mais de pas être capable de me rappeler après notre première engueulade ? C'est une étape dans la vie d'un couple, ça ! J'suis quoi pour lui ? De la marde ?

— Ou la femme de sa vie...

— Non, de la marde ! De la crisse de marde ! se répond Ray, sûre d'elle.

— Ah ben tabarnak ! s'exclame Lily.

— Pis c'est toi qui dis que j'suis vulgaire ! marmonne Ray.

— Ouin, mais toi, Henry venait pas juste d'entrer dans le bar, répond Lily en fixant l'homme qui arrive au même moment.

— Tabarnak ! grogne la grande blonde.

Ray tente maladroitement de se tourner sur son banc, excitée comme une enfant. Sa colère apaisée, la jeune femme est prête à rire.

— Laisse-toi pas faire, engueule-le comme du monde ! dit Ray pour pomper Sophie.

La brunette replace subtilement son décolleté avant de se tourner, le regard fier, vers l'homme qui s'est approché.

— Tu me fais chier, toi ! lance Sophie en se levant, ne pensant pas qu'elle sera plus petite debout qu'assise sur un tabouret.

Les deux adultes se tiennent l'un devant l'autre. Un peu trop près. Henry doit baisser la tête afin de pouvoir regarder la brunette en colère droit dans les yeux.

— *Listen… I wanted to bring you something, a gift… maybe jewels, flowers or something cute, but I thought that you would be insulted and think I'm trying to buy you. So I brought nothing, and now, I feel like the worst man in the world. I just don't know what to do because, usually, when it gets that bad with women, I just give up and… fuck everything up.*

— Amen ! crient les filles et Mathéo en levant leurs verres.

Henry prend une grande inspiration et continue malgré tout.

— *But I don't want to do that now. I feel so stupid, but with you, I don't want to mess it up. Sincerely, I want to be with you.*

— Amen, crient Lily et Ray une seconde fois.

— *Seriously, girls, shut up…*

Henry se concentre de nouveau sur la brunette, qui est visiblement émue. Elle regarde ses deux amies d'un air coupable et tente un sourire timide vers l'homme qui lui fait face. Au moins, il s'est retenu de parler français. Avec son accent qui la rend folle, elle n'aurait sans doute plus été capable de maîtriser ses gestes.

— Je suis désolée, les filles...

— On te pardonne pour ce soir... pis pour tous les autres à venir, répond Ray, attendrie.

Sophie prend sa veste sous le bar et part avec le grand roux. Ray et Lily se regardent un moment avant de commander un autre verre et de trinquer en silence. Lily entend pour la énième fois son téléphone sonner dans sa poche. Elle se doute qu'il s'agit encore d'Oliver et repose le cellulaire sans répondre.

— En tout cas, elle, elle est *game*, lance Ray sur un ton de défi.

— *Game* de quoi ?

— De se lancer... 20 piasses que t'es pas capable.

— Capable de quoi ?

— De te lancer toi aussi ! Ça paraît pas de même, mais c'est toi la plus peureuse de nous trois.

— Parce que toi, t'es pas peureuse ? Toi pis B...

— *Check*-moi ben aller si je suis peureuse ! l'interrompt Ray. Mathéo ! Une bière !

Ray part, bière en main, vers la table où le trentenaire en Converse est assis en compagnie d'un ami. La blonde ignore l'ami en question pour tendre la bière à l'homme à la mâchoire carrée. Lily reste sans voix.

— La p'tite crisse, elle va pas oser aller le cruiser... marmonne Lily avant de caler un shooter de vodka qui ne lui appartient pas.

Après un « c'est la maison qui paye... » au client mécontent, Lily cale un autre shooter, que Mathéo lui a apporté cette fois-ci, lorsqu'elle voit Ray et l'homme se lever en laissant l'ami en plan. « Si en plus elle part avec... » Lily s'apprête à prendre un troisième shooter quand elle comprend que Ray ne se dirige pas vers la porte mais vers elle. Mathéo jubile. La blonde, sûre d'elle, prend une facture, y écrit en gros le numéro de cellulaire de Lily et la donne fermement à l'homme. Elle passe chaque bras autour des épaules des deux adultes.

— Bonne soirée, gang!

Elle s'éloigne pour les laisser seuls.

— *Your friend is…*

— *… a little bit drunk, yes. Sorry about that.*

Ils regardent Ray, de nouveau assise à la table avec l'ami du trentenaire. Elle l'ignore toujours et, souriante, fixe Lily et le trentenaire en Converse au bar.

— *Should we…* commence Thomas.

— *Yes, we should go outside*, répond Lily, gênée.

Ray regarde sortir les deux jeunes gens. Elle se rend soudain compte qu'elle se retrouve toute seule. Elle se tourne alors vers l'ami de Thomas, assis à ses côtés.

— Pis pourquoi Ben est pas débarqué, lui?

*

Sophie, qui ne se fâche que très rarement, a enfin craché le morceau. Une heure de marche et de défoulement à sens unique. Il s'est tu et il a écouté. Maintenant, la douce femme a repris le contrôle d'elle-même et se sent un peu mal d'avoir réagi ainsi. Au pied de l'escalier qui la mène chez elle, Henry se tient debout, mains dans les poches, incapable de déterminer s'il a le droit de placer un mot ou non. Sophie, sachant très bien que la situation est digne des plus grands clichés de la télévision américaine, décide d'assumer jusqu'au bout. Elle plaque violemment Henry contre la porte de l'immeuble et l'embrasse avec fougue.

Ray tourne le coin de la rue en respirant l'air frais du petit matin, soutenue par Mathéo qui ne voulait pas la savoir seule dans les rues à cette heure et dans cet état. Elle ouvre la porte de l'immeuble. Se rapprochant de l'escalier qui mène à l'appartement, Mathéo et elle se figent sur place en voyant le couple qui s'embrasse passionnément devant eux. Ray les regarde quelques secondes avant d'ouvrir son sac à main et d'y plonger la main. Pour signaler sa présence au couple, elle leur lance au visage les trois condoms qui traînaient dans son sac, sous les éclats de rire à peine contenus de Mathéo.

— Tenez ! lâche Ray en les contournant pour continuer son chemin. De toute façon, j'en aurai plus besoin !

Ray ouvre bruyamment la porte de chez elle et se laisse guider par son ami jusqu'au salon. Ils ne peuvent réprimer un petit cri de surprise lorsqu'ils voient un homme qui, de dos, finit de rattacher la ceinture de son pantalon. Il tourne ensuite la tête vers eux sans cacher son malaise. Après un rapide coup d'œil vers les coussins du divan, sens dessus dessous, et vers ce qui se trouve habituellement sur la table basse, maintenant par terre, Ray l'interroge silencieusement d'un signe de la main en direction de la cuisine, auquel il répond par l'affirmative en hochant la tête. Ray se dirige donc vers la cuisine, suivie de près par Mathéo qui serait bien resté avec le bel homme, pour y retrouver leur amie, vêtue d'une simple chemise d'homme et préparant une vodka-canneberge ainsi qu'un verre de vin rouge. Lily l'observe à peine avant de prendre la parole :

— Je me suis bien doutée que c'était toi en entendant la porte d'entrée.

— *Had fun ?* demande Ray en s'appropriant le cocktail que Lily s'est concocté.

— *Lord…* ça faisait longtemps !

— *Nice shirt.*

— Toi aussi, tu trouves, hein ? répond Lily en sortant de nouveau un verre à cocktail pour se faire une autre vodka-canneberge.

— Ça te tentait pas d'aller te coucher, à la place ?

— Absolument pas, continue Lily avec un sourire niais.

— *High five, girl !* s'exclame Ray.

Elle joint le geste à la parole et Lily lui tape la main avec plaisir.

— Putain, les filles, arrêtez, c'est trop macho !

— C'est parce que l'homme que je respecte le plus ici, c'est Ray.

— Et l'homme que je respecte le plus ici, c'est Lily.

— Ouais, on se respecte mutuellement…

— … comme des hommes, enchaîne Ray, tout bonnement.

— C'est officiel : vous êtes pas normales, conclut Mathéo en secouant la tête.

Les deux femmes reviennent au salon avec leurs verres et celui du trentenaire, sans Converse. Ray s'assoit à la gauche de l'homme.

— *By the way*, c'est quoi ton nom ? lui demande Ray qui, par réflexe, parle français.

— Je m'appelle Tom.

— Tu parles français ? demande Lily, surprise.

À ce moment, Sophie et Henry entrent dans l'appartement.

— Heille, Sophie, il parle français ! s'exclame Lily.

— Pour vrai ? Enchantée, le salue la brunette en lui tendant la main. *Nice shirt*, Lily.

— Merci.

Henry sourit poliment en restant derrière Sophie, un peu déçu de ne pas avoir les lieux pour eux deux seulement. Il croise le regard de Tom.

— *Nice shirt. I have the same one.*

Les deux hommes se retournent vers les trois femmes et Mathéo, déjà en pleine conversation.

The First Temptation

— Les filles… qu'est-ce que je mets ? demande timidement Lily, en sous-vêtements devant son placard.

— C'est drôle, d'habitude, c'est à toi qu'on demande ça, rétorque Ray en se laissant tomber sur le lit de la rouquine.

— Je sais, mais là, c'est ma *date*, à moi.

— Qu'est-ce que vous faites ?

— On va prendre un verre dans un bar qu'il aime bien, près de chez lui, et on décide de la suite rendus là…

Lily piétine sur place un instant, fait un tour sur elle-même, farfouille dans sa garde-robe et soupire fortement. Elle fixe Ray :

— Je pense que je suis un peu stressée.

— Mais pourtant, vous avez déjà couché ensemble, répond Ray, lui rappelant leur première véritable rencontre. Vous avez déjà franchi une étape.

— Le fait est que j'avais pas l'intention de coucher avec lui quand je me suis habillée ce jour-là.

— Bon point.

Un silence s'installe entre les deux femmes tandis qu'elles réfléchissent. Du couloir, Sophie lance :

— On peut sortir la robe.

— La robe ? demande Ray en échangeant un regard incertain avec Lily.

— Ben oui. Je suis sûre que tu peux trouver quelque chose pour aller avec, même en hiver.

— Va pour la Dior, répond Lily en haussant les épaules avant de sortir de sa chambre.

Lily demande à Ray de sortir une paire de collants noirs de sa commode, va chercher la housse au fond de la garde-robe de Ray, qui est la dernière à avoir porté la robe, puis la dépose avec soin sur son lit. Il y a quelque temps déjà, les trois filles sont allées faire un tour sur Bond Street et ont craqué pour une robe soleil Dior noire et blanche à rayures verticales avec un décolleté en V plongeant. Ray et Lily ont essayé la robe tour à tour et ont constaté qu'elle leur allait aussi bien à l'une qu'à l'autre, tandis que Sophie n'avait pas assez de poitrine pour qu'elle lui convienne. Elles en sont donc venues à la conclusion qu'elles devaient se l'offrir à deux si elles voulaient en devenir les heureuses propriétaires puisque, individuellement, elles n'en avaient pas du tout les moyens. En plus de ses escarpins rouge vif, d'une bague aux fortes dimensions et d'un blouson en denim, Lily ajoute de petites boucles d'oreilles discrètes pour compléter sa tenue en beauté.

— *Now, you're dressed to kill*, lui lance Sophie.

*

Un condo moderne dans un vieil immeuble de Soho, une énorme bibliothèque, un grand divan sur pattes. Un clavier rangé entre la télévision et une autre bibliothèque, instable. Un téléphone, un étui de guitare rempli de papiers chiffonnés. Une caisse de lait bourrée de vinyles. Une radio qui, au nombre hallucinant de boutons qu'elle comporte, pourrait certainement aller dans l'espace toute seule. Et un gramophone. Un désordre.

Petit, chaleureux, vivant. Du genre « artiste indompté qui conserve toute sa classe ».

Une toile pend de travers au-dessus d'un divan sans fond rapporté d'un voyage à Berlin.

À l'opposé de la pièce trônent un banc rembourré et difforme entouré de papiers, une assiette avec des miettes de toast et la guitare de monsieur. La femme passe les doigts sur la tête de l'instrument pour ensuite les laisser continuer leur chemin vers les clés et finir par frôler les cordes.

— *Do you play?*

Lily sursaute et se tourne vers Thomas qui la regarde faire depuis un moment, bras croisés et sourire aux lèvres.

— *Absolutely not!* répond-elle, légèrement gênée de s'être fait hypnotiser par un instrument de musique encore silencieux.

— *Quite an interest from someone who doesn't play.*

Lily observe la guitare avant de reporter son attention sur l'homme.

— *I like the texture*, souligne-t-elle en haussant les épaules.

La réaction de Thomas la prend un peu de court. Il s'avance lentement vers elle pour regarder l'instrument.

— *So do I.*

Un silence semi-confortable s'installe entre eux. Lily, fidèle à son habitude d'être nerveuse quand une telle chose se produit, tente de trouver un nouveau centre d'intérêt. Facile, dans ce désordre calculé. Elle s'avance vers un mur du salon et s'arrête devant.

— *What's that?*

— *It's a sentence, written on the wall*, répond-il d'un ton ironique.

Lily éclate de rire. Il lui a servi le type de réponse qu'elle réserve habituellement à ses amis. Cela l'aide à se détendre rapidement.

— *That's what I tought. I just wanted to be sure*, continue-t-elle, sourire en coin.

*

C'est après un moment au bar qu'ils ont finalement décidé de passer la soirée chez Thomas. Une fois le tour de l'appartement terminé, il la fait s'installer dans ce divan qu'elle aime déjà.

Sushis, *cookies*, films et *beer* pour une soirée réussie. Couché confortablement sur le dos dans son divan sans fond, Thomas sent le corps de Lily devenir de plus en plus lourd contre le sien, toujours dans sa mignonne petite robe qui, sous cet angle, lui donne une agréable vue sur le décolleté de la jeune femme. Six films muets, allemands, de l'entre-deux-guerres. Une bonne moyenne avant de succomber au sommeil. Il lui a promis que leur prochaine soirée cinéma se passera en compagnie de Chaplin.

— *Time to go to bed now*, lui murmure-t-il doucement à l'oreille.

Lily se réveille à peine pour se rendre à la chambre de Tom. Par réflexe, elle regarde son téléphone pour voir l'heure. Elle remarque les deux appels manqués d'Oliver avant de décider d'éteindre son cellulaire.

27 mai

Après quelques verres en compagnie des trois femmes, les deux mères, Camille et Alice partent rejoindre le reste de la famille de la mariée. De nouveau seules dans la suite, Ray, Lily et Sophie décident de ne plus boire jusqu'à la cérémonie. Le majordome se retrouve donc avec pour seule fonction de tenir la traîne de Sophie.

Quelques minutes avant le départ, Lily texte subtilement son amoureux afin de connaître les derniers détails des préparatifs du marié et de ses plus proches amis.

Alors qu'elles sont prêtes à partir, trois coups se font entendre à la porte de la suite. Lily court répondre et est soulagée quand elle voit Mathéo, et non un de leurs copains, entrer en trombe.

— Mathéo, on s'en va !

— Je sais ! Deux minutes ! Regardez ce que j'ai pour vous ! s'exclame-t-il.

— Un sac noir ?

— Non. Ce qu'il y a dedans. Faite avec tout mon amour ! ajoute le grand Asiatique en caressant l'objet.

— Je m'attends au pire, soupire Sophie.

Mathéo ouvre le sac et en sort la photo d'un homme portant une simple paire de boxers bleus.

— C'est qui ? demande Ray.

— Mon ex.

— On veut pas de ton ex, répond Lily.

— C'est pas lui, l'important, c'est ce qu'il porte !

— Des boxers bleus ? disent les trois femmes en chœur.

— Des caleçons, corrige-t-il. Car je sais que tu n'as rien, si je ne m'abuse, de bleu, de vieux et d'emprunté.

— Ark, lâche la mariée.

— J'ai risqué ma vie pour les voler, les laver et les modifier pour te faire… ça !

Mathéo, tout fier, sort une jarretière de son sac.

— Je l'ai agrémentée de petite dentelle pour la féminiser un peu, ajoute-t-il avec un air de grand designer.

— C'est gentil, Mathéo, mais j'en ai déjà une, répond Sophie en remontant difficilement sa robe pour la lui montrer.

— Mais… mais… il te faut quelque chose de bleu, de vieux et d'emprunté, dans le cas présent volé, mais c'est du pareil au même. C'est une tradition ! Tu préférerais ça… à ceci ? continue-t-il d'un ton tragique en tendant la jarretière, tout de même très bien faite.

— OK ! Faut juste pas que je pense qu'Henry va enlever ça avec ses dents, réfléchit la mariée à voix haute en ôtant, avec l'aide du majordome, la jarretière qui a coûté plus de 200 livres au futur marié avant d'enfiler celle de Mathéo.

— Mais nous, on va y penser, souligne Ray en décochant un clin d'œil complice à Lily et à Mathéo.

*

Après avoir expliqué à Mathéo qu'il ne pouvait pas monter à bord de la voiture avec elles, la robe prenant toute la place, les amies embarquent dans la Lincoln, toujours conduite par Alfred. Ray et Lily aident Sophie, encombrée par sa robe, à prendre place sur le siège arrière avant de s'engouffrer à leur tour dans la limousine.

— *To the church, ladies ?*

— *To the church !*

Avec *Ob-La-Di, Ob-La-Da* en fond sonore, chantant à tue-tête, les trois femmes, encore un peu pompettes, ne semblent pas du tout conscientes de ce vers quoi elles se dirigent.

La voiture contourne l'église pour les déposer à une entrée secondaire par laquelle Sophie pourra se rendre directement dans une petite pièce attenante à la nef.

Henry fête le jour de l'An

Les quatre jeunes gens prennent place dans la limousine. Henry sert à boire aux trois femmes installées dans la voiture qu'il a louée pour la soirée. En vrai gentleman, il les a invitées à sortir pour le réveillon du Nouvel An, s'acquittant de tous les frais. La blonde et la brunette examinent minutieusement les bouteilles une à une. Lily, assise les jambes croisées, soupire de plaisir et tend la main vers le premier quotidien sur une pile de journaux qui traîne sur le minibar. Elle le feuillette distraitement puis s'arrête.

— Wô… J'ai trouvé ce que Thomas fait dans la vie !

Sur une page du journal, les deux comparses peuvent lire *Expected Albums of the Year*. Sous le titre, le nouveau copain de Lily apparaît, entouré des trois membres de son groupe. Sophie ouvre la bouche et la referme, ne sachant pas quoi répondre à son amie qui sourit de toutes ses dents.

*

— *Come oooon…* insiste Sophie en criant pour couvrir la musique.

— *I. Won't. Dance.* répond Henry d'un ton catégorique.

— *Please*, supplie-t-elle encore plus doucement en nouant ses bras autour du cou de l'Anglais, espérant le faire craquer.

— Laisse-le faire. Il va comprendre assez vite pourquoi tu veux qu'il vienne, assure Ray, qui revient du bar où elle s'est rendue en compagnie de Lily pour reprendre leur souffle avec un ou deux *shooters*.

Ray passe derrière Sophie tandis que celle-ci fait un sourire contrit à son copain et se dépêche d'aller rejoindre ses amies. Henry s'installe le plus confortablement possible sur son tabouret pour les observer. Le grand roux n'est pas un adepte de la danse ; c'est de famille, aucun homme ne sait bouger correctement chez lui. Il sourit. Avec leurs cheveux, Lily et Sophie ont entamé une sorte de danse qui dérange les gens autour d'elles. Bien sûr, elles n'ont aucunement l'air de s'en soucier, elles s'amusent. Pour sa part, Ray y va d'une chorégraphie de bras très élaborée.

Les trois amies s'immobilisent, se fixent puis se remettent à danser frénétiquement en hurlant les paroles d'une chanson sortie tout droit de leur adolescence et que le DJ de l'endroit a décidé de modifier au goût du jour. Un jeune homme s'approche subtilement, du moins le croit-il, de Lily et Ray. Il danse de plus en plus près d'elles, ce qui fait s'esclaffer les trois jeunes femmes, qui ne lui accordent aucune attention. Après quelques secondes, il comprend qu'il n'a aucune chance et retourne parmi la foule.

Henry n'était jamais sorti avec elles dans un club et les trouve assez divertissantes. Il regarde un peu autour de lui mais reporte rapidement son regard sur la piste de danse. Un homme blond se trouve maintenant derrière Sophie, qui ne se gêne pas pour lui envoyer des coups de coude. Cela ne semble pas le déstabiliser. À chacun de ses mouvements, il frôle les fesses de Sophie, qui se déplace constamment pour s'éloigner de lui. Henry fronce les sourcils avant de déposer son verre et de se lever.

Sophie trépigne d'impatience dans sa petite robe marine et regarde ses amies. Elle est sur le point de se retourner pour hurler au visage de l'homme derrière elle. Lily, qui l'observe d'un air moqueur, la fait se retourner. Son copain se dirige vers elles, le visage fermé. Il écarte brusquement le blond et prend position derrière Sophie sans pour autant se mettre à danser. Cette dernière lui fait un clin d'œil. Il soupire et se joint à elles en dansant maladroitement, sans entrain.

— *We knew you'd come*, souligne Ray avec un sourire en coin.

— *Not for fun, this guy is a twat.*

— *They're all at my feet!* répond Sophie en se déhanchant exagérément.

Cette réplique déride le grand roux tandis que le DJ annonce le décompte du Nouvel An.

I Want to Be Your Man

Le matin du 1er janvier, Ray se fait réveiller par son téléphone qui vibre sur la commode de la suite. La soirée de la veille a été épique et elle se surprend d'avoir les yeux ouverts avant Lily. Elle regarde l'heure : 9 h 30. Beaucoup trop tôt pour elle. Ray répond sans même regarder qui l'appelle, puis se laisse retomber sur l'oreiller.

— *Hello ?*

— *… hi ? Ray ?*

Ray se redresse d'un coup. C'est Ben. Ben qui, le premier, ne lui a pas donné de nouvelles pendant des jours. Ben, dont elle a par la suite ignoré les appels. Ben.

— *… hi.*

Ils restent silencieux pendant plusieurs secondes.

— *Where are you ? I… I tried to call the apartment but nobody answered…*

Elle ne sait pas si elle doit confirmer la peur que trahit sa voix et lui faire croire qu'elle est chez quelqu'un et qu'elle est très occupée ou bien simplement lui dire la vérité. Elle ferme les yeux quelques instants et respire un bon coup. Elle s'avoue, avec remords, qu'il n'a rien fait de mal, sauf ne pas la rappeler. En lui demandant d'habiter avec lui, il avait tout simplement prouvé qu'il l'aimait et qu'il la voulait près de lui plus souvent.

— *I'm at the hotel right now,* répond-elle.

— *At the… hotel ?*

Dès qu'elle entend ces mots, Ray s'en veut de ne pas avoir précisé davantage.

— *Yes, with the girls. Henry's New Year gift.*

— *Oh.*

Un nouveau silence s'installe et elle attend qu'il parle en premier.

— *Do you... do you wanna have coffee ? Tea ? Something ?*

— *I... hum... I...*

— Dis oui, ajoute-t-il en français.

Ray se retourne et aperçoit deux yeux d'un vert pétillant qui l'observent entre les couvertures.

— C'est Ben ? Il veut te voir ? Vas-y !

Ray couvre le téléphone d'une main et interroge son amie du regard, complètement perdue.

— Tu trouves pas que ce serait un bon timing pour qu'on soit les trois en couple ? Pis en plus... tu l'aimes. Dis-lui juste qu'habiter avec lui, c'est trop tôt, que tu peux pas encore te passer de moi...

La tête rousse se pose à nouveau sur l'oreiller et les petits yeux se referment. Ray resserre le combiné contre son oreille. Elle s'aperçoit au même moment que sa tête lui fait dangereusement mal. Elle aurait besoin d'un café.

Thomas : l'immigration

La soirée a été mouvementée. Lily a pris quelques verres en compagnie de ses amis et, en raison de sa bonne humeur contagieuse de ce soir, elle s'est fait offrir quelques verres. La jeune rouquine devant Mathéo ballotte mollement la tête en attendant qu'il range les derniers verres sur une tablette trop haute pour elle.

— Tu sais ce que j'aime chez lui ? demande alors Lily, assise sur le bar.

— Chez qui ?

— Thomas !

— Quoi ? demande Mathéo, attendri.

— Il est vrai. Il est super passionné par ce qu'il fait. Et il est beau.

— Ça oui, chérie.

— Il a un beau visage. Généralement calme, désinvolte. Faque, quand il rit, je me sens tellement spéciale d'être témoin de ça, explique Lily, comme si elle en prenait soudainement conscience.

Mathéo hésite entre rire gentiment de son amie ou lui signifier qu'elle dit vraiment de belles choses à propos de son amoureux.

— J'aime ça quand il me parle de musique, de choses que je comprends pas toujours ou que je connais pas et, des fois, qui m'intéressent même pas, poursuit-elle en suivant Mathéo pendant qu'il termine la fermeture du Kweb.

— Ma belle Lily, c'est l'heure de rentrer, je crois, lui dit-il affectueusement après avoir verrouillé la porte d'entrée.

— Oh, mais je retourne pas chez moi. Je dors chez Tom ce soir, dit-elle doucement avec une expression mièvre qui ne lui ressemble pas.

— Ah. C'est pour ça.

Lily lui sourit et le salue avant de partir à pied. Elle décide de marcher jusque chez Tom. Le froid de février lui fera du bien.

*

— *Lily, why did you choose London?*

Elle s'appuie sur un coude et regarde Tom dans le noir, l'air interrogateur. Il est étendu à ses côtés dans la pénombre.

— *Why London what?*

— *Why London, and not Montreal? Why are you here?*

— *To start my own life with my second family. That sounds terribly cheesy, I know, but it's true. London to… discover. I like the UK for all its fantastic musicians, for all the good authors, all the great creators, for its history... London is old-school and traditional but at the same time so modern and so original.*

Elle respire profondément et continue, cette fois-ci davantage pour elle-même.

— Parce qu'on est heureuses. Je suis encore émue de regarder les photos de notre premier voyage ensemble. On est tellement heureuses d'être où nous sommes et d'être ensemble. On a fait un bout de chemin chacune de notre côté, mais c'est ensemble que les aventures sont les plus belles.

— *And why do you always speak to me in French?* lui demande Tom à l'oreille.

— *Because you understand perfectly and I appreciate that*, rit tendrement Lily en calant sa tête dans le cou de l'homme pour s'endormir.

« Out, damned spot! Out, I say! »

Ces quelques jours consacrés à l'œuvre de Shakespeare ont été fructueux et Lily n'a aucune crainte d'oublier son texte. Cette audition pourrait ranimer sa carrière de comédienne. Elle avance sur la scène, faisant face à l'acteur qui jouera le rôle principal de la pièce. Ben se lance avec âme dans un des nombreux monologues ardus de *Macbeth*. « *Brilliant and sexy*, pense-t-elle alors en l'observant, la tête penchée sur le côté. Ray ne sera pas contente. » La rouquine évalue de loin les juges qui choisiront l'actrice pour le rôle qu'elle convoite et, du même coup, celle qui donnera la réplique à Ben en interprétant sa femme. En effet, si elle comprend bien, Ben a déjà obtenu le rôle principal. Le rôle de son potentiel et fougueux mari. « Non, Ray ne sera pas contente. »

*

En ce mercredi de congé, Ray passe l'après-midi au café avec Mr Thompson et Mathéo.

— *So, what about your boyfriend ? Are you getting married anytime soon ?*

Ray retient un rire et se penche vers le vieil homme pour le regarder dans les yeux.

— *No, we won't get married. It's still too soon, even if I wanted to get married.*

— *In my time, two years with the same person was enough to get married.*

— *Maybe, but in Quebec, most people are not really religious anymore. I don't believe in that kind of tradition.*

Mr Thompson secoue la tête, légèrement réprobateur. Il flatte distraitement le museau du chien.

— *What about Ben ?*

— *He doesn't believe in marriage either. He was almost engaged with his previous girlfriend and things turned out really bad when they broke up.*

— *Not your kind of engagement, I gather*, lance le vieillard en jaugeant la jeune femme.

— *Not at all*, intervient Mathéo, qui s'inclut de plus en plus dans les histoires des filles. *Among the three girls, Sophie is the exception. She's like me. A romantic.*

Quelques minutes plus tard, Lily fait irruption dans le café, un peu essoufflée. Sans même lui laisser le temps de dire un mot, Mathéo se précipite vers elle.

— Ton audition ! Dis-nous pour ton audition !

Lily le contourne et va se planter devant la blonde, debout derrière le comptoir.

— J'ai eu le rôle de Lady Macbeth.

C'est à ce moment que Ray fait le lien avec ce qu'elle a appris la veille : Ben lui a annoncé qu'il jouerait le rôle de Macbeth dans la prochaine production du Globe. Ray se souvient de la seule fois qu'elle a vu cette pièce et se remémore des images de la scène torride entre le personnage principal et sa femme.

— Avec Ben ?
— … oui ?

« Écrire est aussi une façon de rythmer le temps et de le passer »

Lily s'est remise à l'écriture de façon presque compulsive. Depuis qu'elle n'a que sa carrière de comédienne et le Kweb comme emplois, elle peut prendre du temps pour elle.

Il est presque 10 heures et, depuis le début de l'après-midi, elle n'a pas quitté son ordinateur. Elle a à peine levé la tête lorsque Henry est venu chercher Sophie, vêtue comme une princesse, et n'a pas bronché davantage lorsque Ray est partie rejoindre Ben pour une soirée en amoureux en ce jour de la Saint-Valentin. On cogne plusieurs fois à la porte avant que Lily se rende compte qu'elle doit aller ouvrir. Elle réajuste ses chaussettes de laine multicolores puis s'élance, curieuse, vers la porte.

Tom se tient dans l'encadrement, sa main droite soutenant une énorme boîte de pizza. En risquant un œil à l'intérieur, il aperçoit l'ordinateur sur la table basse du salon, entouré de feuilles de papier, et une boîte de craquelins.

— *I see you haven't eaten yet.*

Lily émet un petit rire coupable. Elle sent un léger reproche dans la voix de Tom.

— *That's the reason I brought this !* continue-t-il en indiquant la boîte de pizza du menton.

Attendrie par cette pensée, Lily sourit. Son sourire s'épanouit davantage lorsque Tom, après avoir déposé la pizza sur le comptoir, lui montre la bouteille de vin rouge qu'il dissimulait derrière lui. Il lui fait signe d'attendre encore un peu puis plonge la main à l'intérieur de son manteau pour en sortir un exemplaire du film de la meilleure aventure d'Astérix et Obélix jamais portée à l'écran. L'équation parfaite des petites attentions qu'elle a sous les yeux ne peut être que synonyme de plaisir : une soirée dénuée de toute complexité, parfaite pour ne penser à rien d'autre qu'à la mâchoire carrée qui se trouve devant elle.

Le légendaire Mr T.

Ray a la tête enfouie dans la paperasse. Elle entend la clochette de la porte tinter et se redresse pour voir Mr T. entrer avec Gorky.

— *Hello, young lady!*

— *Hi, Mr Thompson. How are you today?*

— *I'm good, thank you! What are you doing?*

— *Things are pretty boring at the newspaper; there was no big scandal today. And since I'm the one taking care of the business side of the café…*

Il dépose son chapeau avant de lui faire signe de continuer son explication.

— … *I'm taking the day to sort out some papers for the Kweb.*

Elle lui sert son thé du mercredi après-midi tandis qu'il se laisse tenter par un biscuit au chocolat. Il le croque du bout des dents et ferme les yeux un instant. Sa peau plissée et ses chandails de tricot rappellent à Ray quelques-uns de ses anciens professeurs d'université, des vieux de la vieille, qui pouvaient raconter le monde parce qu'ils l'avaient vu changer.

— *I like chocolate.*

Il dépose le biscuit et se penche, comme pour lui dire un secret.

— *Yeah, there are too many old people here, and not enough young persons*, lui lance-t-il avec un clin d'œil.

Ray lui sourit gentiment, débarrasse le comptoir de ses papiers, puis verse un bol d'eau pour Gorky. Mr T. est toujours le bienvenu au café. Avec les patronnes, il parle de la ville, de la vie des trois amies, des journaux… Il lui arrive même d'apporter un exemplaire du journal pour lequel Ray travaille et de débattre de certains éléments dans ses articles. Il a déjà assisté à une pièce de commedia dell'arte et l'a fait savoir à Lily seulement à la fin de la représentation, en allant la voir dans sa loge, accompagné des deux autres jeunes femmes. Lily a été très touchée par l'attention. Sophie, quant à elle, s'assure qu'il ait des billets pour toutes les expositions du musée. Et il n'en manque jamais une. Il y va avec plaisir, même s'il ronchonne parfois parce que les chiens ne sont pas admis.

— *So*, reprend-il après une grande gorgée de thé, *what's going on in the world I should be aware of, even if there's no scandal ?*

221 B, Baker Street

Ray regarde d'un air découragé l'amoncellement de boîtes, d'électroménagers et de meubles entassés dans le salon et dans la cuisine.

— Pourquoi on engage pas des déménageurs, déjà ? pense-t-elle à voix haute.

— Parce qu'on est des Québécoises et que le déménagement est notre sport national ! lui répond Lily en dansant sur la musique qui résonne entre les murs de leur appartement de plus en plus vide.

— Et parce qu'Henry a dit qu'il viendrait nous aider avec des amis, termine Sophie en donnant un coup de pied à un carton qu'elle est incapable de déplacer.

— Désolée, Sophie, mais ton chum est celui des trois à qui je ferais le moins confiance pour un déménagement…

— C'est vrai qu'il doit pas avoir déménagé souvent dans sa vie, alors on va sûrement remplir des Hummer et des VUS Mercedes et BMW avec nos boîtes ! renchérit la blonde.

Sophie maugrée un peu mais doit avouer que ses amies ont raison. Mais leurs copains ne se sont pas offerts, eux, pour donner un coup de main ! Le soulagement prend tout de même le dessus. Elles auront enfin plus d'espace pour cohabiter.

Quelques minutes plus tard, la sonnette retentit. Sophie ouvre la porte et sourit à son amoureux.

— *Good morning, girls !* lance-t-il à la cantonade.

— Salut !

Les voix de Lily et de Ray lui parviennent depuis ce qui, la veille, était leur salon.

— *I came with four guys from my polo team.*

— *Good ! Hi, guys !*

La blonde et la rousse viennent saluer les « déménageurs » et peuvent seulement constater que cinq paires de bras supplémentaires seront les bienvenues. Les hommes constatent et assurent que deux voyages suffiront pour tout transporter, puis les huit jeunes gens empoignent chacun une boîte et les descendent dehors. Sophie prend celle qui est étiquetée « DVD », Ray, la « Verres », et Lily, une des nombreuses « Livres », qui est assez volumineuse et plutôt lourde. Un joueur de polo, Simon, lui propose de la porter à sa place.

— *May I help you ?* lui lance-t-il d'un air enjôleur.

Il n'obtient en guise de réponse qu'un sourire condescendant et la démonstration concrète de la force de Lily qui, même si elle est moins costaude que n'importe lequel d'entre eux, peut soulever le carton toute seule.

Une fois au bas de l'escalier, les trois filles sont les premières à sortir. Elles aperçoivent alors ce que les garçons ont prévu comme camions de déménagement. Bloquant toute la rue, et mal, très mal garés, se trouvent effectivement trois luxueux VUS, chacun attaché à une remorque utilisée pour… le transport des chevaux. Ray est la première à réagir.

— Hostie !

Puis Sophie.

— Crisse…

Et Lily.

— Sophie, des fois, je me dis que j'apprécie pas mal Henry…

— Vous voyez, on avait aucun souci à se faire pour l'espace, mais… nos vêtements vont pas puer ? demande l'archéologue, inquiète.

La fin de l'après-midi approche et tous leurs effets personnels sont arrivés intacts à leur nouvelle demeure. Elles se sont même rendu compte de la solidité des micro-ondes britanniques lorsque Jeremy, voulant impressionner Ray, a tenté de transporter le leur d'un seul bras, l'autre étant occupé à tenir la cafetière. Résultat : l'appareil a déboulé sept marches avant que la blonde l'arrête avec son genou, maintenant tout bleu. Et Jeremy n'a récolté que trois regards noirs et quatre éclats de rire moqueurs. Les trois amies donnent maintenant leurs instructions aux joueurs de polo, qui répartissent les boîtes et les meubles dans les différentes pièces avec, comme fond sonore, un vieux disque des Backstreet Boys.

« Let every man be master of his time »

Depuis déjà quelques semaines, à la fin de ses journées ou de ses soirées au Kweb, Lily saute dans le *tube* pour aller répéter avec la troupe du Globe. Dans la chaleur étouffante des wagons, elle se félicite tous les jours d'avoir lancé l'ultimatum aux filles d'engager un nouvel employé. En dépit des horaires chargés de Lily et de Mathéo et malgré toute la bonne volonté de Ray et Sophie qui, même avec leur travail à temps plein, consacraient tout le temps qu'elles pouvaient au Kweb, le café ne pouvait pas rouler tout seul. La seule chose qui manquait vraiment à Lily de son ancien emploi au bar, c'était la présence de Robin, qui était devenu un bon ami. C'est pourquoi, lorsque Lily Ray, Sophie et Mathéo s'étaient entendus pour embaucher un barman, l'idée d'engager Robin s'était imposée d'elle-même. Maintenant, le passionné barman et ses dreads blonds étaient devenus l'une des marques de commerce des soirées au Kweb.

En sortant rapidement de l'Underground, Lily longe la Tamise pour entrer précipitamment dans le théâtre de Shakespeare. Des répétitions additionnelles ont été ajoutées cette semaine ainsi qu'aujourd'hui. La rouquine enfile son costume en deux temps trois mouvements (ou aussi rapidement qu'on peut revêtir une robe d'époque) avant d'aller s'échauffer avec le reste de la troupe sur scène. Peu après, le metteur en scène les rappelle à l'ordre pour commencer.

Une fois les lumières éteintes, Lily prend place en coulisses pour entendre les coups de tonnerre.

« When shall we three meet again
In thunder, lightning, or in rain ? »

*

Lily voit ensuite passer près d'elle les acteurs qui répétaient quelques secondes plus tôt. Elle tourne et retourne le bout de papier dans ses mains comme elle l'a si souvent fait jusqu'à aujourd'hui. Elle entre en scène, prête à laisser la place à Lady Macbeth. Elle lève tout juste les yeux avant de commencer la lecture de la lettre, qu'elle ne connaît que trop bien. D'un regard, elle balaie la salle de spectacle circulaire et vide. Tout à coup, elle prend conscience de l'endroit où elle se trouve. Debout, sur la scène du Globe, à Londres. Elle, la petite rêveuse qui désirait devenir une actrice. C'est ainsi qu'elle commence :

« They met me in the day of success… »

27 mai

Les deux jeunes femmes s'introduisent dans la pièce où Sophie doit attendre le moment de son entrée. Elle est seule, et alors qu'elles s'attendaient à voir la mariée assise devant son miroir, ravie et éclatante, Lily et Ray aperçoivent plutôt une Sophie debout, immobile au centre de la pièce, prise dans les longueurs de sa gigantesque robe de mariée.

— Oh, les filles ! dit-elle dans un soupir d'extrême soulagement.

Ses épaules s'abaissent dangereusement et ses yeux expriment une immense panique. Les sourires des deux filles s'effacent au fur et à mesure qu'elles approchent de leur amie.

— Je capote. Je capote. Je capote. Je capote…

— Tu capotes, on a compris, la coupe Ray qui, avec l'aide de Lily, soulève l'immense traîne pour que Sophie puisse s'asseoir.

— C'est pas une bonne idée si je vous dis que je sais plus si c'est une bonne idée, hein ? murmure la future épouse, au bord des larmes.

— Non, c'est pas une bonne idée, surtout si tu nous expliques pas pourquoi, répond sérieusement Ray.

— On a toujours dit que j'allais me marier, c'était un ben bon *running gag*, on en a ri souvent, c'était ben l'fun, mais là, c'est pus une *joke* ! C'est la vraie vie, pis je me demande si je suis pas en train de suivre ce qu'on disait, sans me demander si je veux vraiment le marier… Hostie que j'ai l'impression d'être dans un mauvais épisode de *Sex and the City*, finit-elle en se prenant la tête entre les mains.

— T'en fais pas, le curé va te le demander tantôt. Au pire, tu lui diras non.

— LILY ! C'est pas drôle ! J'ai pas le goût de faire une hostie de grosse gaffe pis de me retrouver divorcée six fois à la fin de ma vie !

— « Nous ne savons jamais si nous ne sommes pas en train de manquer notre vie », tente Lily philosophiquement.

— *Fuck* Proust, Lily. *Fuck* vraiment Proust, OK ? la fusille Ray.

— Tu y as pensé, au mariage, reprend la rouquine doucement. C'est juste que, en ce moment, ça te dépasse un tout petit peu.

Lily accentue son dernier mot.

— Attends de voir Henry. Tu l'oublies parce que tu penses à trop de choses, mais pense deux petites minutes avec qui tu te maries. Tu l'aimes, Henry. Tu l'aimes, pis tu le sais en maudit.

Thomas : la Ray-animation

— Tu sortais pas avec Ben ce soir ? demande Sophie au bout d'un moment.

— Oui, mais il a décidé d'aller répéter à la place, vu que la première est la semaine prochaine ! répond Ray, assise sur le divan, bras croisés.

— Ah.

Ray prend alors le téléphone qui traîne à ses côtés.

— *Hi, Thomas ! Would you like to have a drink tonight ?* lance-t-elle joyeusement.

L'air satisfait de Ray fait comprendre à Sophie que son amie sort ce soir. Elle reprend donc sa lecture sans émettre un seul commentaire.

*

Sophie entend des voix provenant de la cage d'escalier. Elle regarde l'heure : 19 h 30. La jeune femme soupire et se dit qu'il est plutôt pathétique que son amie parte à 17 heures et rentre aussi tôt dans un état – d'après ce qu'on peut entendre – d'ébriété avancée.

Un bruit sourd suit l'ouverture de l'entrée.

— Ouch ! Tu m'as ouvert la porte dans le front ! lance la grande blonde depuis la cage d'escalier.

— *Sorry !* répond Thomas avant d'éclater de rire avec Ray.

Les deux jeunes gens se glissent difficilement dans l'entrebâillement minuscule de la porte, n'ayant pas songé à reculer pour l'ouvrir davantage. Ray passe la première et se prend les pieds dans la multitude de chaussures empilées tout près de l'entrée. Elle ne fait rien pour éviter de tomber, s'étale sur le plancher et y reste. Elle roule ensuite sur le côté pour que Thomas puisse entrer plus facilement.

— Ferme la porte, je veux dormir, grommelle Ray en faisant mine de s'emmitoufler dans le tas de chaussures.

Thomas l'observe, le regard vide, s'appuyant d'une main sur le mur pour garder l'équilibre, et se met à la secouer doucement du bout du pied.

— *Wake up, wake up !*

Ray se blottit sur elle-même en marmonnant. Sophie, toujours assise au salon, contemple le spectacle qui se déroule sous ses yeux. Thomas donne encore de légers coups de pied à Ray sans rien dire tandis qu'elle reste immobile, la tête dans les bras.

— Chuuuut… chuuuut, grogne-t-elle à intervalles réguliers.

Se désintéressant finalement de Ray, le trentenaire en Converse se rend laborieusement à la cuisine et ouvre le frigo. Il prend une fourchette dans le tiroir près de lui pour piquer une bouchée d'un reste de lasagne froid. Puis il retourne au salon, emportant la lasagne avec lui, s'assoit à côté de Sophie et allume la télévision sans dire un mot.

« Une chance que la première est la semaine prochaine ! » soupire la brunette en retournant à sa lecture.

« Screw your courage to the sticking-place »

Lily voit la foule qui s'amasse. Avec l'éclairage du Globe et le soleil toujours présent, elle peut distinguer tous les détails des visages des gens rassemblés devant la scène, qui ne la voient pas encore. Les grandes inspirations qu'elle prend n'apaisent pas son cœur qui bat trop fort. Elle sent alors deux mains se poser sur ses épaules. Elle se retourne et voit Ben qui lui sourit, confiant, une pointe de fierté dans le regard qu'elle sait lui être spécialement destinée. Ils s'enlacent pour se donner mutuellement du courage. Ils ont peur, ils sont confus, ils ont hâte. C'est la première.

*

La soirée est avancée et les filles ont décidé de la terminer en beauté, tranquilles, en prenant un verre au Kweb. Lily débarre la porte pour laisser Sophie désactiver le système d'alarme et Ray allumer une ou deux lumières. Il est plus de 3 heures du matin et les trois amies encouragent leur propre commerce en s'achetant une bouteille de champagne pour célébrer la première de la pièce.

— C'était trop bon ! répète encore Sophie.

— Bon ? C'était juste *weird* ! *Fuck*, au début, t'aimais pas Ben, pis là, tu le frenches sur scène ! Belle évolution !

— Toi, c'est tout ce que tu as retenu de la pièce ? Pas la scénographie, le jeu, la mise en scène…

— La mise en scène marchait tellement bien. Simple mais efficace, la coupe Sophie.

— … Ben qui danse… continue d'énumérer Lily dans son verre.

— Quoi ?

— Ben sait pas danser, affirme la rouquine avec une véhémence attribuable à l'alcool.

Les trois filles éclatent de rire.

— C'est juste pas un danseur, laisse-lui une chance !

— Non, non ! Tu comprends pas, j'ai jamais vu quelqu'un pas être dans son corps comme ça ! Heille, mal à l'aise, le gars ! Écoute, c'est vraiment divertissant ! conclut la rousse en riant.

— Parce que Tom sait danser ? s'exclame Ray pour prendre la défense de son copain.

— Ray, Ray, Ray, Tom sait tout faire...

Everybody's Got Something to Hide Except Me and My Monkey

De retour après de trop nombreux jours de pluie, le pâle soleil pousse Ray à tirer Ben du lit pour aller chercher à déjeuner dans une petite boulangerie du coin. Ben vit dans un quartier bien nanti de Londres, qu'il affectionne pour y avoir toujours habité. Comme des adolescents, ils descendent la rue en se tenant la main. En tournant le coin, le couple se retrouve face à face avec un autre couple qui s'apprêtait à traverser.

La dame lève les yeux et son regard s'éclaire :

— *Hi, dear !*

Elle s'avance et, sur la pointe des pieds, embrasse Ben sur la joue. Ray, surprise, se tourne vers l'homme d'âge mûr et se surprend à examiner son visage, le même visage que Ben... avec trente ans de plus.

— *Hi, dad.*

Ben serre solennellement la main de son père, qui diffère de son fils seulement par son âge, sa plus petite taille et ses lunettes.

— *Huh, Ray, my mother...*

Ben fait un léger signe en direction de la dame aux cheveux blancs. Celle-ci, véritable stéréotype de matriarche d'une grande famille anglaise, tend la main en direction de Ray. C'est toutefois d'une voix vive et d'un ton empreint d'intelligence qu'elle s'adresse à la jeune blonde.

— Hi, Ray! We've heard so much about you!

Ray serre la main tendue avant de bien refermer son imper, qui cache son haut de pyjama, et de leur offrir son plus beau sourire.

— Nice to meet you.

Sans laisser le temps à un silence embarrassant de s'installer, la mère de Ben lance spontanément :

— Your coat is lovely. I had one like that too when I was your age.

Elle rit doucement et Ray remarque la totale absence de rides sur son visage. Les yeux mi-clos, la dame poursuit :

— We asked Ben to invite you over for dinner several times but the timing was never good. We must have dinner or tea sometime!

Ray, qui n'a jamais eu vent de l'existence des parents de son copain avant aujourd'hui, ne sait pas comment réagir. Ben prend les devants, de peur que sa mère ou sa copine s'aventure trop loin et compromette le bon déroulement de la conversation.

— That would be a pleasure, but we're pretty busy now, we're going to an appointment. I'll call you and set a date later.

À force de sourires polis et de salutations convenues, Ben réussit à tirer Ray des pattes de ses parents. Un coin de rue plus loin, elle se retourne discrètement et voit qu'ils ont disparu.

— You have parents!

Elle s'immobilise devant le grand brun, l'empêchant de continuer son chemin.

— Of course I have parents!

— But you introduced Oliver like your only family, I thought your parents were dead or that it was a sensitive topic for you…

Il la regarde en silence avant de pousser un soupir et de baisser les yeux.

— I wanted to wait until things were very official, but I just kind of lost track of time…

— *You told them about me, but not me about them!* dit Ray, irritée.

— *The thing is… there's something about my parents you have to know.*

— *What? They're freaks? They kill people?*

— *No… my mom is a psychologist.*

— *Wait… what?*

Ray prend tout le temps nécessaire pour assimiler l'information. Elle repousse une mèche rebelle derrière son oreille et croise les bras sur sa poitrine. Elle relève la tête et le regarde avec conviction.

— *OK, then what? I'm sure she can establish a clear difference between work and family.*

Ben la regarde, incrédule.

— *I swear, I'm OK with it*, poursuit-elle.

— *Are you sure? Because some of my previous girlfriends completely freaked out.*

— *I think your mom looks lovely, and so does your dad.*

Ray s'apprête à ouvrir la porte de la boulangerie, mais Ben lui fait un sourire charmeur et la lui ouvre lui-même pour la laisser entrer. La jeune femme sourit à son tour avant de lui murmurer, pour la forme:

— *And I'm not your other girlfriends.*

*

— Il a des parents? Putain, il était pas orphelin? demande Mathéo, surpris, en arrêtant de dresser l'inventaire du bar.

— Il a des parents. Il est pas orphelin. Mais il y a quelque chose de pire que ça, répond Ray à ses trois spectateurs.

La jeune femme n'a toujours pas retiré son manteau et est encore debout, les deux mains à plat sur le comptoir.

— Pire que le fait que ses parents soient vivants? ironise Lily en enlevant elle-même le manteau de son amie.

— Oui. Sa mère est psy.

— *You're kidding, right?*

« La confiance en soi est une chose presque sexuelle »

— Moi, je vote pour une pause !

— Une pause ? Parce que t'es trop vieille pour toffer ?

— Non, pour pas être écœurée un moment donné !

— Écœurée ? Moi, personnellement, je m'écœure pas avec Henry !

— Pas après deux minutes, là ! Mais un moment donné… Le corps suit plus ! Après une couple d'heures…

— Ah ! Après une couple d'heures, OK !

— Ben oui ! rétorque Lily. Tu fais une pause, tu t'endors tout de suite, rassasiée, et tu te réveilles en forme pour repartir !

À cet instant, Mathéo entre dans le café.

— Salut ! Je peux savoir de quoi vous discutez ?

— Devine ! répond Ray avec une moue coquine.

— Encore ?

— Ça fait juste ça quand t'arrives ! T'as rien qu'à te *timer* autrement ! On parle pas juste de cul, d'habitude ! argumente Lily.

— Ouais, c'est ça… répond Mathéo, à moitié convaincu.

Le grand Asiatique s'installe nonchalamment au comptoir avec ses trois patronnes, saluant Robin qui s'affaire aux tables.

— Je voulais vous parler de la soirée que j'organise avec Robin, mais je vois que vous avez un bien meilleur sujet, reprend-il avec un sourire narquois. Alors, lequel est le meilleur ?

— Mathéo ! s'exclame Sophie tandis que Lily éclate de rire.

— Quoi ? OK, je vais vous donner des critères si c'est trop vague ! Le meilleur par-derrière ?

— Parle-nous de ta soirée, à la place, Mathéo, dit la brunette en se levant pour aller rincer sa tasse.

— Bon, on sait que ce n'est pas Henry. Pauvre chérie, tu ne sais pas ce que tu rates… Dites, vous vous souvenez que je cherchais un groupe de jazz pour ma soirée et que j'avais passé une annonce dans le journal ?

Les trois femmes acquiescent en silence.

— Du coup, j'ai reçu plein d'offres !

— Combien ? demande Lily, curieuse.

— Eh bien, je ne sais pas exactement, mais une chose est sûre : j'écoute des démos chez moi depuis au moins une semaine ! Ils sont tous cinglés ! J'ai reçu des lettres, des CD, il y en a qui se sont pointés au café et même chez moi… Ne me demandez pas comment ils ont fait pour avoir mon adresse. Ils veulent tous jouer ici ! s'exclame Mathéo avec fierté.

— Si on m'avait dit qu'un jour j'aurais le destin de musiciens entre mes mains…

— Tu prends goût au pouvoir, Sophie ! Arrête-moi ça immédiatement !

George the Doorman

Une assurance qui ne sort que lorsque le soleil est couché se dégage des trois femmes qui marchent d'un pas décidé en cette froide nuit d'automne. Elles remontent la file d'attente qui s'étire sans cesse pour avoir une chance d'entrer dans le bar, une dizaine de mètres plus loin. Les trois Québécoises se plantent devant le mastodonte qui se dresse entre l'entrée et le devant de la file. À ses côtés se trouve un homme aux proportions un peu plus communes, derrière un lutrin sur lequel repose une liste de noms. Ray ne se souvient pas d'avoir entendu parler d'une *guest list*… Le petit homme ne lui dit rien lui non plus et, à voir les regards qu'il lance à tous ceux qui souhaitent entrer, il semble prendre son travail très au sérieux.

— *Hey! Miss Lily, Miss Ray and Miss Sôô... Sôôôph...*

— Sophie, George, Sophie, dit la brunette au doorman, qui a encore beaucoup de difficulté à prononcer son prénom correctement.

Les salutations de George ne font que refroidir son compagnon, qui se met à scruter la liste. Il relève les yeux, fier comme un paon, un sourire complaisant sur les lèvres.

— *Sorry, ladies, your names aren't on the list. I must ask you to leave, please.*

— *I beg your pardon?* s'exclame Sophie, outrée par l'attitude du maître d'hôtel aux proportions de plus en plus communes.

— *Your names are not on...*

— On a compris, mon grand, c'est correct, tranche Ray avec un signe d'agacement.

Elle s'apprête à passer lorsqu'il s'interpose. Bouche bée, Lily et Sophie fixent George qui regarde l'homme, ne sachant trop comment réagir. Puisque personne ne se décide à bouger, Lily se fraye un chemin pour se glisser entre George et le maître d'hôtel.

— Le prochain coup, tu regarderas comme il faut. Nos noms sont pas sur la liste, ils sont sur le bail, épais! jette-t-elle.

Sachant pertinemment que l'homme n'a rien compris, elle prend une des cartes professionnelles qu'elle garde toujours dans son sac et la lui tend. Le type la lit et n'ose pas relever les yeux lorsque les deux autres femmes passent sous les « *Have fun, ladies!* » de George, qui rit de bon cœur.

Les trois amies se disent que laisser l'organisation des soirées-concerts entre les mains de Mathéo n'était peut-être pas une si bonne idée.

La France, la France, c'est pas une raison pour se faire mal !

Ray et les membres de la rédaction, tous assis autour de la grande table de la salle de conférences, s'affairent à noter les détails de la couverture des élections européennes. Le patron, visiblement trop occupé pour transmettre lui-même les informations à propos du plus vaste scrutin de l'année, a confié ce travail aux bons soins du chef de pupitre.

— *Illina, you'll cover all of Eastern Europe. Frank, you have Germany, Austria and Hungary. Ray, you have Belgium and Switzerland. We will have a workmate from a Spanish newspaper to cover Spain for us, and Italy is Sarah's business.*

Il fait une pause et se tourne vers un homme en veston sport, les bras croisés sur la poitrine, qui l'observe attentivement.

— *You have England, Jonathan.*

L'homme baisse la tête pour cacher son sourire. Tout le monde savait déjà qu'il allait avoir l'Angleterre… et qu'il excelle au squash et qu'il sait reconnaître le bon whisky, selon ce que raconte le patron.

— *Now, there's the France issue.*

Ray se redresse et regarde son chef de pupitre, qui la fixe droit dans les yeux. Elle s'est secrètement réservé la France. C'est la meilleure façon de prouver la qualité de son travail et de faire avancer sa carrière. Si elle obtient la France, plus personne ne refusera qu'elle fasse la couverture d'événements d'actualité en dehors de Londres, une ambition qu'elle caresse. Jonathan lève la tête à son tour.

— *I travelled in France a lot.*

Il s'adresse au chef de pupitre, debout à l'extrémité de la table.

— *So did I. I have friends and family in France.*

Toutes les têtes se tournent vers Ray. Les mots sont sortis tout seuls.

— *I have friends in France as well*, réplique Jonathan du tac au tac.

Il se tourne vers son supérieur et continue d'un ton rempli de sous-entendus :

— *Many of them are journalists ; they will have important things to say…*

— *If I cover France, I won't have to keep interviewing journalists because of my lack of knowledge of the French language*, lance Ray en décidant de s'attaquer directement au point faible de son collègue. *I can interview almost whoever I want in that country.*

C'est maintenant à Jonathan qu'elle s'adresse.

— *And who's really interested in what journalists think ? We cover the information, we don't create it. I can interview ordinary people, ministers, whoever you want.*

— *I have more experience in journalism. And I won't make mistakes, because I think I understand European etiquette better than Americans do.*

— *I am not American*, dit Ray calmement en dardant son regard dans celui de Jonathan.

Elle prend une grande respiration avant de poursuivre son argumentation :

— *And you may know that Quebec and France have a relationship transcending any formal relationship.*

Ray pivote en direction de son patron et reprend, éloquente :

— *With my education, my nationality and my general knowledge, I think I might be the most qualified reporter to understand the international stakes of such elections and their consequences.*

Le chef de pupitre les considère tour à tour avant de baisser la tête. Il la relève et les regarde encore, l'air contrit, puis soupire.

— *I knew you would both want to cover France…*

Autour d'eux, tous les journalistes les observent, légèrement mal à l'aise.

*

— Vous vous rendez compte que ça se peut que je perde ma bataille contre Jonathan parce que je sais pas jouer au squash ? s'exclame rageusement Ray, aux prises avec son sac à main, ses dossiers, son cellulaire et la portière du taxi.

— Si je comprends bien, c'est le grand patron qui décide qui va couvrir l'événement ? demande la voix de Lily.

— Ouais.

— T'as une fin de semaine complète de congé, profites-en pour magasiner ou prendre du repos. Stresse pas trop avec ça.

— Vous voulez pas que je stresse parce que c'est quasiment sûr que je l'aurai pas, rétorque Ray. Sophie m'a même dit de pas me faire trop d'idées quand je l'ai appelée, c'est encourageant.

Ray soupire fortement et ferme les yeux, se laissant transporter jusque chez elle.

— Cours pas après le trouble, mais si la situation se présente de nouveau, bats-toi.

« But you can't expect to wield supreme executive power just because some watery tart threw a sword at you »

Ray est sur Regent Street et passe, distraite, de boutique en boutique, profitant de la belle température hivernale. Elle s'arrête dans un café et prend un latté brûlant pour la route. C'est sa journée de congé ; Sophie s'occupe du Kweb. En bonne économiste, Ray s'est débloqué un budget pour la journée. Elle a besoin de décompresser. Elle entre dans une boutique de chaussures qu'elle aime bien. Elle essaie une paire de talons rouges puis se tourne vers une paire de chaussures bleues à bouts ouverts qu'elle trouve plus polyvalentes. Elle dépose son café et enfile difficilement la première chaussure avant de sentir la vibration dans une poche de son manteau. Elle soupire en tentant d'attraper son téléphone.

— *Yes?* répond-elle d'un ton impatient, ayant reconnu le numéro de son patron sur l'afficheur.

— *Hello, you. We have to talk*, lance-t-il froidement.

Ray coince son téléphone entre son oreille et son épaule et prend la seconde chaussure bleue. Elle a promis aux filles de ne pas s'en faire si elle n'a pas la France, et c'est ce qu'elle fait.

— *About what?* continue-t-elle en se battant avec la chaussure pour la glisser dans son pied.

— *What, about what? About the newspaper! About the elections!*

— *You weren't even there when the countries were divided among the journalists.*

— *Somebody thought I should know that you and Jonathan had an argument over France*, enchaîne-t-il.

— *Yes.*

Elle se lève pour faire quelques pas avec les chaussures.

— *So...* poursuit-il.

— *So, what?* répond la journaliste. *We're waiting for you to make a decision.*

Elle s'examine dans le miroir avant de grimacer et d'enlever les souliers, qui lui font déjà atrocement mal.

— *That's why I'm calling. I want you to prove you really want France!*

Elle s'arrête quelques instants, irritée, et décide de le faire patienter le temps de prendre la paire de talons à motif rayé qu'elle vient de voir sur la tablette. Elle pointe la chaussure à une vendeuse alors qu'elle reprend, dédaigneuse, la conversation avec son interlocuteur.

— *I don't understand why, suddenly, you care about what I have to say*, répond-elle à son patron, ayant décidé d'opter pour la franchise.

— *Pardon me?*

Ray se sourit à elle-même: sa tactique fonctionne. Elle ne prend pas la peine de s'asseoir pour enfiler la première chaussure que lui tend la vendeuse et poursuit:

— *You know what I think? I think you already know who you'll choose to cover France. And that's why you're calling. You want to make me believe that I don't have my chances and that if you give me the work, it's partly because of your charity or pity, or whatever. But the fact is I know I deserve it, because I know I'm able to do it,* lance Ray en pointant le vide avec la deuxième chaussure qu'elle a toujours à la main.

Elle l'enfile ensuite sous le regard ravi des vendeuses, qui croient sûrement être en présence d'une femme d'affaires en pleine négociation, ce qu'elle est d'une certaine façon. Elle prend son café et se dirige vers le miroir, confiante.

— *And you know what? If you really wanted Jonathan to have it, you wouldn't have called me.*

Elle termine de s'inspecter minutieusement et va s'installer sur un banc pour retirer les chaussures. Une vendeuse lui montre déjà une autre paire, semblable à celle qu'elle vient d'essayer.

— *You have France*, finit-il par approuver.

Elle ferme les yeux et savoure sa victoire.

— *Thank you.*

27 mai

Les portes de l'église sont encore fermées. Trois des cinq hommes présents sont étendus sur les bancs devant l'autel. Le frère du marié se tient bien droit et essaie depuis quelques minutes déjà de convaincre l'homme roux et ses deux amis de se lever. L'ami d'enfance d'Henry est debout lui aussi, concentré sur les pas de la valse qu'il a dû apprendre en vue de la réception.

— *Come on, guys! You're getting married!* lance le frère du marié en regardant spécifiquement Henry, amorphe.

— *We're sleeping!* répond Ben, approuvé par un grognement d'Henry.

— *Would you please, at least, put your contacts on?* ajoute le frère d'Henry dans un dernier sursaut d'espoir.

Il se tourne vers les deux copains de son frère pour obtenir un signe d'approbation. Se sentant légèrement interpellé, Tom se redresse sur ses coudes et regarde le grand roux.

— *It's your goddamned wedding day*, marmonne-t-il avant de prendre une énième gorgée de son gobelet de café posé par terre.

Avec un soupir de résignation, Henry se lève sous les faibles encouragements de ses trois amis et ceux, plus insistants, de son frère.

— *OK.*

Et tandis que le rouquin se dirige vers les toilettes de l'église, Ben demande à Tom :

— *Did you know he wears glasses?*

— *No.*

— *Can I have some coffee?*

— *Yes...* répond Tom en lui tendant son propre gobelet.

Hier encore

Lily est assise sur le divan, très droite, les yeux dans le vide. Elle est seule. Dans le salon règne un silence de mort. De mort. Mort. Dans ses yeux verts, la rougeur causée par les larmes est flagrante. Ses vieux écouteurs sur les oreilles, elle pleure encore en entendant cette musique, mais elle ne l'arrêterait pour rien au monde.

C'est arrivé sans le moindre signe avant-coureur.

Désormais, mon cœur vivra sous les décombres.

Elle n'entend rien d'autre que sa musique.

Il faut savoir encore sourire…

Ray ouvre la porte avec fracas. Son amie, le visage décomposé, tient un journal. Le même qui traîne sur le plancher devant elle.

*

Ray monte les escaliers quatre à quatre, à peine consciente qu'elle a quitté le travail après y être tout juste arrivée. Quelques instants plus tôt, c'est en jetant sa fierté par la fenêtre du taxi qui la ramenait chez elle que la grande blonde a téléphoné à son patron, la voix pleine de trémolos. Elle lui a dit qu'elle était dans l'impossibilité de travailler aujourd'hui. « Deuil », qu'elle a dit.

Il faut savoir coûte que coûte garder toute sa dignité…

Ray entre dans le loft, soulagée d'y trouver Lily.

Il faut savoir cacher ses larmes…

À ce moment, elle entend des pas au bas de l'escalier. Elle tourne la tête en direction du bruit pour apercevoir, près de l'entrée du bâtiment, Sophie, parapluie ouvert mais complètement trempée.

*

Sophie ouvre la radio avant même de fermer son parapluie ou de déposer ses clés sur le comptoir. Elle sourit en entendant ces quelques notes qu'elle connaît par cœur…

Je vous parle d'un temps que les moins de vingt ans…

… mais la musique s'arrête tout à coup pour laisser place à la voix d'un animateur qui annonce le décès de l'interprète. La jeune femme éteint précipitamment la radio, ne voulant pas y croire. Elle reprend ses clés et repart rapidement. Le Kweb restera fermé aujourd'hui.

*

Dans le salon rouge, les trois complices sont silencieuses.

Tous les enfants jouent en silence…

Le salon ne l'est pas. La musique y résonne comme pour faire taire la funeste nouvelle. Les yeux fermés, les joues inondées de larmes, elles s'imprègnent de toutes ces mélodies nostalgiques, qu'elles soient tristes ou joyeuses. La journée défile, tout comme les bouteilles de vin devant elles.

Apportez-moi du vin fort, car le vin délivre! Oh! Versez, versez-m'en encore pour que je m'enivre. Allez!

Le salon est maintenant plongé dans l'obscurité. Elles ne s'en préoccupent guère. Il faut du temps pour parcourir soixante ans de carrière.

Tu es vivant aujourd'hui, tu seras mort demain, et encore plus après-demain.

Thomas: la composition

Il commence à jouer un air joyeux à la guitare. Quand il se met à chanter, Lily ne peut pas s'empêcher de baisser les yeux, trop timide pour regarder celui qui vient justement de lever les siens craintivement vers elle, espérant une réaction. Sa voix à la fois rauque et claire… Ce désir de fermer les paupières et de sourire à pleines dents, mêlé à celui de courir le plus vite possible, la prend au cœur. Une voix ne devrait jamais faire autant d'effet… Elle l'observe du coin de l'œil, incapable de ne pas être heureuse en le voyant bouger au rythme de la musique, derrière sa guitare.

— *And now, you need to imagine the rest of the instruments!* s'exclame Tom avec enthousiasme.

Lily éclate de rire en hochant la tête. Elle tourne les talons et se met à danser doucement au milieu du salon au rythme de la musique.

— *So what do you think?*

— *Who is it from?*

— *Me*, répond le trentenaire, tout à coup mal à l'aise dans ses Converse.

— *That was one of your compositions*? demande Lily, surprise, en se rapprochant de lui, toujours assis au bout d'un fauteuil, ses partitions déposées sur un appui-pied tout près.

— *Yes… why?* hésite Tom en déposant sa guitare, un peu froissé.

— *Your style is usually… slower and calmer… no?*

L'homme se frotte la nuque, signe de gêne ou de malaise chez lui.

— *Yes, you're right, but… The other day, when we were under the rain and you began to dance, like that… like a little girl… you sang Michael Bublé. That… inspired me,* raconte Tom.

Il feint la désinvolture, mais Lily est attendrie par le fait qu'il ne sait plus où poser les yeux. Il passe sa main gauche dans ses cheveux, se gratte le visage, puis se rend compte de son manège et pose les mains sur ses cuisses. Ils aiment tous deux ressentir les choses mais détestent les concrétiser avec des mots. Plantés au milieu du salon en désordre permanent, ils sont là, en silence, à se sourire, conscients du malaise qui plane ridiculement entre eux.

Lily brise le silence.

— *Will you… play this song at the Kweb?*

— *I would like to try it in an old and filthy pub first*, répond Tom en prenant une gorgée de bière.

— *Is it appropriate for a filthy bar?* lui demande Lily, sceptique, en allant s'installer à califourchon sur ses genoux.

— *You're right*, rit Thomas. *But I don't want to play it for the first time at the Kweb, it's not good enough*, termine-t-il de sa voix grave avant d'embrasser Lily.

The Squeeze

C'est dans un des chics restaurants indiens du secteur des docks de Saint Katharine que les parents de Ben attendent leur fils et sa copine pour le souper. Les deux tourtereaux ont épuisé toutes les excuses crédibles au cours des derniers mois et ont finalement dû accepter cette invitation. Ben a informé Ray des sujets à aborder et à éviter pendant le repas.

— *And remember: do not talk about their jobs.*

— *Come on, Ben! I think I'll be fine. We're all adults, right?*

Il l'embrasse distraitement avant de l'entraîner à l'intérieur de la bâtisse en briques rouges. Elle voit la mère de Ben qui se lève, silencieuse mais souriante, accompagnée dans son geste par son mari. Ils échangent des banalités et Ray tend la main vers le dossier de sa chaise. Elle voit du coin de l'œil la dame faire signe des yeux à son fils. Ben prévient alors le mouvement de sa copine et lui tire sa chaise. Étonnée, elle s'y installe, déchirée entre l'envie d'éclater de rire et celle de disparaître sous la table.

— *You. Are. Kidding…* marmonne-t-elle à Ben en se mordant la lèvre avant que celui-ci s'assoie à son tour.

Son copain lui lance alors un regard contrit. Mis à part quelques petits accrocs en matière de formalités, elle croit sincèrement que les parents de Ben sont charmants. Un peu ennuyants, certes; de toute évidence, ils ne parlent pas des derniers films à l'affiche ou de leurs séries télévisées préférées. Trouvant le vin et les anecdotes de famille dangereusement endormantes, elle décide d'aborder le sujet de leurs emplois respectifs, malgré les regards meurtriers de Ben, assis de l'autre côté de la table.

— *I am a psychologist...* commence la dame aux cheveux gris.

Elle fait une pause puis continue.

— *You know, with the increasing sexual disorders now medically accepted as illnesses, there's increasing demand in this field.*

Ben se redresse sur sa chaise et l'observe d'un air prudent.

— *Sexual disorders?* laisse échapper Ray.

C'était plus fort qu'elle. Elle voulait être certaine de ne pas avoir rêvé. Et une autre partie d'elle a eu envie de provoquer son copain.

— *Yes.*

La mère de Ben semble ravie de constater que Ray n'est pas intimidée par le sujet.

— *I specialize in male sexual disorders.*

Elle lance un regard de biais à son fils. Celui-ci est calé sur sa chaise, bras croisés sur le torse, et toute son attitude semble dire: « Elle te l'a demandé, c'est elle qui l'a cherché. »

*

— Oui, allô?

— Les filles, tabarnak! crie presque Ray à l'autre bout de la ligne.

— Quoi? Quoi? Ça va pas bien? Elle t'a profilée? Ils pensent que t'es une tueuse en série?

Ray entend Sophie mettre le téléphone sur interphone.

— Schizo ? Bipolaire ? ajoute Lily.

— Sa mère est spécialiste du fonctionnement sexuel féminin et masculin, et un de ses domaines de recherche, c'est l'éjaculation précoce !

— Le… la… quoi ?

Sophie essaie de contenir sa surprise alors que Lily rit déjà aux éclats.

— Elle t'a pas posé de questions… indiscrètes, au moins ? demande Lily, qui aurait visiblement trouvé cela vraiment intéressant.

— Non, elle y est plutôt allée sur la complexité qui entoure le simple problème de l'éjaculation précoce. Savais-tu qu'il y a une méthode, le *squeeze*, qui consiste à faire une pression à la base du gland pour…

— Arrête ça là ! s'écrie Sophie.

Lily s'étouffe de rire à l'autre bout du fil.

— Elle a quand même pas raconté ça au souper devant tout le monde ? laisse échapper Lily en se calmant à peine.

— Oui et non. Elle m'a expliqué son travail, mais avec des termes très… scolaires. Pis on était rendus au dessert, heureusement, parce que sinon, j'aurais peut-être pas terminé mon assiette…

— Pis le père, il fait quoi, lui, dans la vie ? Pas la même chose ? demande Sophie, soudainement sérieuse, comme si elle s'inquiétait pour la sécurité de son amie.

— Non. Lui, il est comptable.

— Ha ha ha ha ha ! reprend Lily de plus belle.

— C'est clair qu'ils pensent que je suis cinglée. Je veux dire, elle est capable d'analyser la vie sexuelle de quelqu'un selon ses comportements en couple, et lui, je suis sûre qu'il lui en manque pas gros pour penser que je suis folle.

— Mais… commence Lily, il y a quelque chose que je comprends pas, là. Pourquoi ses parents sont si intelligents et pas lui ?

— Heille !

— Non, je veux dire, pourquoi le gars est comédien, et pourquoi son frère est tellement *stuck up*, avec les parents qu'ils ont ?

— Je peux pas parler pour Oliver, mais d'après ce que Ben m'a dit, il a étudié dans l'une des meilleures écoles d'Angleterre. Mais c'est pas parce que t'es brillant que t'aimes l'école. Il aimait mieux le théâtre…

— Quoi ? Pour vrai ? Tu nous as jamais raconté ça avant ! s'insurge Sophie.

— Ça, ma chère, ce sont des confidences recueillies sur l'oreiller. J'en aurais d'autres bonnes pour vous, mais… je dois y retourner.

— T'es en train de nous dire qu'il est brillant là, ton Ben ? interroge Sophie, faussement sceptique.

— Quoi ? Ça te surprend tant que ça ?

— On a pas toutes tes goûts en matière d'hommes, Sophie, lance Lily pour faire fâcher son amie.

— Ha ha, très drôle ! ironise-t-elle.

— Les filles, je dois vraiment y aller. Sinon, ils vont se demander si je me suis pas *flushée* moi-même dans la toilette pour disparaître.

*

— *Why were you so afraid of having me meet your parents ?* murmure Ray, allongée contre Ben.

— *They intimidate people easily. And I think that would be a stupid reason to break up with you. You know, I love you.*

Ray lève la tête pour apercevoir Ben qui l'observe du coin de l'œil.

— *It's funny to hear that from you. You don't say it often.*

— *But you know I mean it, right ?*

Elle marmonne quelque chose avant de déposer de nouveau sa tête contre le torse de son copain.

— *... hum... but I just want to know...* commence Ray.

Ben se redresse sur ses coudes pour la regarder à son tour, un peu sur la défensive.

— *What?*

— *Was it hard to live, as a teenager, with your mum being specialized in sexual functioning?*

— *Come on!...* soupire-t-il en se laissant retomber sur son oreiller.

— *No! Answer me!* insiste-t-elle.

Ben se tourne vers elle.

— *No. No, it wasn't. Because she tried as much as she could to separate her professional life from her family's. As much as she could*, répète-t-il tout de même.

Ray lui renvoie son regard foudroyant.

— *Are you telling me that you never asked her for advice, never in your life?*

Ben est soudainement outré.

— *What? What are you insinuating? I never needed any... help... in that matter.*

— *Really?* demande-t-elle, railleuse.

— *Oh, yeah. Really*, répond-il en la regardant dans l'obscurité.

Elle garde le silence quelques secondes puis reprend, toujours en le fixant droit dans les yeux.

— *You pulled my chair. You held the door for me. You...*

Elle doit s'interrompre et attendre qu'il arrête de rire avant de poursuivre.

— *You obeyed your mother, like a perfect little Englishman. What was that?*

— *What was that? That was my education!* s'exclame-t-il.

— *You never did that before.*

— *This is etiquette. That's what you do with well-educated, good-mannered...*

— *I know what etiquette is, for Christ's sake! Why did you never do that before?*

— *I do this with you all the time!* proteste-t-il. *I open the door for you, I take your coat, I hold your bag, I do it all.*

— *Not the chair thing.*

— *No, not the chair thing. But if you like it, I can do it as well.*

Son regard se veut tendre, mais Ray peut tout de même y déceler une dose de malice.

— *No, I don't. I only wanted to tell you how funny it is to see you being so comfortable, surrounded by rich and respectable people in a fancy restaurant.*

— *I'm British. We're comfortable everywhere.*

Henry va à la campagne

— Comment on a réussi à organiser ça, déjà? demande Sophie.

— Ça me tente pas de m'en rappeler parce qu'on est en… commence Lily.

— … vacances! chantonnent-elles.

Les deux femmes terminent les préparatifs pour leur semaine de congé tandis que Ray parcourt les épiceries avec Ben pour acheter les dernières provisions tout en parlant avec Lily au téléphone.

— N'oubliez pas les CD! leur lance la grande blonde.

— Trois heures de char pis une semaine de chalet… Tu peux être sûre qu'on n'oubliera pas la musique.

*

— *Can I suggest something?* dit Lily à Henry, cachée derrière ses lunettes de soleil.

Les deux roux ont décidé de rester à l'extérieur une fois leur travail terminé. Tandis que Lily profite du soleil, couchée sur le capot de la voiture, Henry grille une cigarette. Ils attendent que Sophie trouve enfin le CD qui leur manque. Thomas est parti, il y a de ça quinze minutes, aider Ray et Ben, qui sont tombés en panne.

— *Yes*, répond Henry après un long silence.

— *We make a bet. The first to get sunburned*, dit-elle en relevant la tête vers lui.

— *That's stupid.*

— *I know.*

— *I'm in*, accepte Henry.

— *OK, if I win, I want…*

Après que Lily lui ait fait part de son idée, Henry réfléchit quelques secondes. Au grand étonnement de la jeune femme, il accepte.

— *OK.*

Ils restent à côté de la voiture pendant près de vingt minutes avant que Sophie descende finalement, avec pour excuse que le CD est probablement déjà dans l'auto.

*

— Lily ? Qu'est-ce que tu fais assise là ?

— Je vous regarde paqueter le char. Henry pis moi, on l'a fait tout seuls tantôt, on prend une pause.

— OK, mais c'est pas ça que je voulais savoir, ajoute Ray, toujours immobile, un sac d'épicerie dans les bras.

Laissant les autres faire le travail derrière elle, Ray observe son amie assise dans l'ouverture de la fenêtre de l'auto, fesses sur la portière et jambes à l'intérieur, qui tape des mains sur le toit au rythme de la musique.

— *You will drive this car ?*

Thomas s'arrête à côté de Ray, une glacière au bout du bras. Lily hoche vigoureusement la tête, tout sourire.

— Comment Henry a accepté de te laisser conduire sa voiture ? demande Ray, pas du tout certaine de vouloir connaître la réponse.

Pendant que Lily marmonne quelque chose à propos d'un pari, tout le monde s'installe dans le VUS.

— Ray ! Tu veux t'asseoir en avant pis t'occuper de la radio ?

La blonde, qui allait prendre place à l'arrière avec Ben, se ravise.

— Certain ! s'exclame-t-elle en laissant son copain pour courir s'installer à l'avant.

— *And what am I supposed to do ?* lance Ben, faussement attristé.

— *And me ?* ajoute Thomas en passant près de lui.

Ray se tourne vers l'arrière du véhicule pour y voir Thomas et Ben sur les deux sièges individuels, juste derrière Lily et elle. Henry et Sophie ont la banquette arrière pour eux.

— *Oh my God ! Henry, what happened to your face ?* s'écrie la grande blonde.

« *I think this might just be my masterpiece* »

— C'EST FAIT !

— Quoi ?

— MA PIÈCE !

Sophie et Ray se lancent un regard de biais. Elles sont en train de feuilleter le journal, assises au salon par un lundi matin pluvieux.

— On sait, tu nous l'as fait lire la semaine passée…

— Je veux dire que je l'ai envoyée.

— Où ?

La rousse sourit comme si elle allait confesser la bêtise de sa vie et qu'elle en était peu fière. Ses deux amies l'observent d'un œil inquiet. D'un coup, la jeune femme s'assoit et fixe, l'air grave, la blonde et la brunette.

— J'ai fait quelque chose d'insensé.

— Attends une minute, la coupe Ray en se levant pour prendre la bouteille de rhum à moitié entamée dans la bibliothèque.

Puisque Lily leur dit qu'elle a fait quelque chose d'insensé, les verres ne conviennent pas : elles vont boire à même la bouteille. Après quelques gorgées, Lily leur raconte en détail les pensées et les péripéties qui, de fil en aiguille, ont fait naître une idée en elle. C'est lorsqu'elle a refermé la boîte aux lettres, son texte bien au chaud dans de belles enveloppes brunes, que la panique s'est emparée d'elle. Lily venait d'envoyer son texte à une brochette impressionnante de personnes influentes du cinéma français et québécois.

Ray soupire.

— Wow, c'est une bonne idée... dit Sophie, incertaine.

— Je sais, je me dis qu'ils doivent en recevoir tellement... Le pire qu'il peut m'arriver, c'est qu'ils me répondent jamais.

— T'es sûr que c'est le pire qui peut t'arriver ? demande Ray en haussant les sourcils.

« It is a truth universally acknowledged, that a single man in possession of a good fortune must be in want of a wife » : Henry va aux toilettes

— Les filles ?

Ray et Lily lèvent les yeux lorsqu'elles entendent la voix de Sophie qui leur parvient de l'entrée du loft. Elle semble totalement perdue. Elle laisse tomber son sac, enlève ses ballerines et va les rejoindre à la table. Décoiffée, ses yeux brillent d'une lueur vacillant entre l'euphorie et le désespoir.

— Hum, ça va ? demande Ray en fermant son ordinateur portable.

— Je le sais pas, j'imagine que oui.

— Ouch ! Ça, c'est clair ! Qu'est-ce qui se passe ? interroge Lily.

— Je vais me marier.

— *Nice*, répondent les deux autres sur le même ton avant de reprendre leurs activités respectives.

Au bout de quelques secondes pendant lesquelles Sophie attend sagement que l'information fasse son chemin, la blonde et la rousse ferment à nouveau leurs outils de travail d'un coup sec.

— Ça fait des années qu'on te le dit, commence Ray.

— Il te l'a demandé quand ?

— C'est ça, l'affaire, je suis un peu déçue de la demande…

— Franchement, Sophie !

— Attends. On se promenait dans le centre-ville pis on est passés devant un magasin de robes de mariée. Je me suis arrêtée et je les ai regardées. Il les a regardées aussi et on a discuté des robes. En fait, on a surtout ri des laides.

— Ce qu'on aurait fait aussi. Continue, commente Lily en se levant de sa chaise.

— Là, une dame est arrivée à côté de nous, elle s'est mise à parler de mariage… Henry a dit qu'il n'y avait pas de mariage. Mais il y a eu quelque chose au fond de moi qui est devenu triste, pis…

— Quétaine, lâche Ray avant d'ouvrir la bouteille de vin que Lily est allée chercher dans le frigo avec trois coupes.

— Ah arrête ! Je suis quétaine, qu'est-ce que tu veux que je te dise ! Ça doit avoir paru dans ma face parce que plus tard, chez Harrods, Henry m'a emmenée dans la toilette des gars.

— Ark ! murmure Lily, dégoûtée, en remplissant les trois verres.

— Ça pue toujours le crisse, une toilette de gars, intervient Ray en trinquant.

— *Come on*, les filles ! Je vais me marier ! Faque là, on s'est embrassés, il niaisait, pis là, il m'a regardée dans les yeux pis il a shooté : « *Hey, sweetie*, veux-tu m'épouser ? » En français, pis pas de fautes ! Avec son accent qui donne des frissons, j'ai failli dire oui tout de suite…

— Parce que t'as pas dit oui ? demande Lily d'une voix blanche.

— Attends. J'ai failli hurler « oui ! » drette là, mais je nous ai vus : j'étais assise sur le comptoir de la toilette des hommes. En arrière de lui, il y avait les urinoirs, c'était un peu ridicule. J'ai aussi repensé à ce qui venait d'arriver, pis j'en suis venue à la conclusion qu'il me demandait ça par pitié, qu'il avait vu que j'étais déçue quand il avait dit « *no wedding* » pis qu'il voulait me consoler, raconte Sophie entre les gorgées de vin. « Tu me demandes ça par pitié ? » que je lui ai répondu. « *Pity ? No, I really mean it !* » Il avait l'air sincère, mais j'étais quand même pas sûre. « Tu veux te marier avec moi, pour vrai ? » Mon Dieu, pauvre lui, j'avais l'air de rire de lui. Il était tellement *cute*, j'aurais jamais pu dire non, termine-t-elle en retenant le sourire qui plane sur son visage.

— Aujourd'hui, t'as eu une demande en mariage, *and me, I did my laundry*, ironise la rouquine sous le regard moqueur de Ray.

— On s'est remis à s'embrasser et j'ai usé de mon charme pour qu'il accepte de payer ma robe de mariée et celles des demoiselles d'honneur, ajoute Sophie.

— C'était la moindre des choses, si tu veux mon avis, répond Lily avec une désinvolture feinte.

— Mais quand même… Dans une toilette ?

La blonde semble légèrement dégoûtée.

— Ouin, c'est décevant, acquiesce la rouquine.

— Mais tu vas quand même te marier…

— J'aurais toujours pas dû dire non ? À cause de ça ? demande Sophie, effrayée.

— T'es malade ? Si c'est ce que tu veux, on s'en crisse des toilettes !

Lily remplit de nouveau le verre de son amie.

— Je le sais qu'on a toujours imaginé ça, mais là… c'est vrai. Si je me marie, ça change tout.

— C'est ça qui est génial ! Le changement, on est capables de faire avec. On a vécu pire.

Lily imagine déjà les enfants roux courir dans le jardin du domaine familial, qui serait leur résidence secondaire, à Ray et à elle, et où elles iraient passer leurs vacances.

— OK, là, on va réagir en filles normales ! On va crier, pis brailler, pis penser à l'organisation, décide Ray, qui sait fort bien qu'au fond, la brunette est vraiment heureuse.

— Hiiiiiiii ! hurle alors Sophie en se levant d'un coup, les bras en l'air.

— Haaaaaaaaa !

— ... avec des marguerites partout...

— ... pis la robe avec les dorures...

27 mai

Alice marche lentement dans l'allée, fière d'avoir l'attention de tous sur elle. Prenant un pétale à la fois pour le laisser tomber doucement sur le sol, la fillette aux Converse mauves prend sa tâche très au sérieux derrière son sourire faussement timide. À sa suite arrivent Lily et Ray, déguisées en demoiselles d'honneur. Elles parcourent à leur tour l'allée dans leurs robes vert bouteille, faisant appel à toute leur concentration pour ne pas la dévaler à toute allure.

Le tour de Sophie vient ensuite. Henry est bouche bée. Il ne peut pas détourner les yeux de la mariée coiffée sobrement qui fait son entrée. Ses pensées se bousculent sans qu'il puisse pour autant les partager avec ses garçons d'honneur, par pudeur dans ce lieu sacré. Jamais il n'aurait pu imaginer une robe aussi immense mettre à ce point sa femme en valeur. Avec Ray et Lily, il aurait dû s'en douter.

« Personne ne veut accorder aux autres le droit de se tromper »

Sophie termine d'éplucher un sac de pommes. Le dessert du jour au Kweb : tarte aux pommes. Elle soupire et entreprend de couper les fruits en quartiers. Un vieil homme entre dans le café et vient s'asseoir au comptoir devant Sophie, qui s'essuie les mains et se dirige vers l'armoire à thés et à tisanes.

— *Good morning, Mr Thompson !*

— *Good morning, young lady !*

La brunette lui sert son thé noir, avec un sucre et un lait.

— *Thank you. How are you doing ?*

— *Very well, thanks !*

— *I assumed so…* dit Mr Thompson d'un air mystérieux.

— *Really ?*

— *Yes. Ray told me about your engagement with Henry. Congratulations !*

La jeune femme rougit légèrement mais s'empresse de demander :

— *Thanks. Do you think it's a good thing ?*

Mine de rien, le vieillard est proche des filles, et son opinion compte beaucoup pour Sophie.

— *I think that he's a good boy…* assure-t-il, paternel.

— *I know, right ?*

Quelques minutes passent, durant lesquelles il demande des nouvelles des deux amies de Sophie, qui prend plaisir à lui raconter ce qui se passe ces jours-ci au loft, non sans humour. Enfin, le vieil homme se lève pour partir.

— *What are you baking ?*

— *Apple pies ! They'll be ready in thirty-five minutes.*

— *Oh. I'll be back later to try some, then.*

— *Of course. Have a good day, Mr Thompson.*

— *You too, young lady… You too.*

Chantage sportif

— Qu'est-ce qu'ils foutent? demande Lily en s'impatientant.

La rousse regarde ses deux comparses.

— Je vais aller voir, rétorque Ray.

La blonde traverse le loft à vive allure. Elle s'arrête derrière le divan sur lequel se trouvent Henry et Ben. À leur gauche, Thomas est assis sur le bout de son fauteuil.

— *Dinner's ready, guys!* annonce-t-elle avec autorité.

Ben lui répond sans la regarder:

— *Can we eat here? It's rugby night.*

Ray se retourne et fait signe à Sophie de la rejoindre, sa coupe de vin rouge à la main. Ses yeux se posent ensuite sur le tapis crème du salon, puis sur Henry qui vient de bondir sur la causeuse à la suite d'un plaqué spectaculaire. « Mauvaise idée. Très mauvaise idée. » Son regard s'attarde sur le téléviseur où on diffuse le ralenti du dernier jeu. Un joueur en jaune vole dans les airs sous l'assaut de deux joueurs en vert, le corps désarticulé, le t-shirt par-dessus la tête. Une idée germe dans l'esprit de Ray en voyant le torse nu du joueur.

— *Wow, what a game!* s'écrie-t-elle soudainement, un air impressionné sur le visage.

Elle force les garçons à se tasser et s'installe sur le canapé entre le roux et Ben.

— Hé Lily, viens voir!

Lily arrive à pas lents et regarde Sophie, qui ne comprend pas elle non plus. Par-dessus son épaule, Ray leur adresse un clin d'œil malicieux. Elle reprend immédiatement en se retournant vers l'écran:

— Ayoye, avez-vous vu le numéro 34… il vient de se faire ramasser. Ouch! Pis le 21 juste là…

Ses amies sont debout derrière le divan et fixent la télévision d'un air sceptique. Ray continue son monologue:

— *Checkez* le 21, il me fait penser au *dude* qui jouait pour l'Impact, dit-elle d'un ton songeur. Vous savez, le *dude*… répète-t-elle sur un ton sensuel.

Les deux amies comprennent enfin où la blonde veut en venir et se sourient, complices. Sophie embarque immédiatement dans la conversation :

— Ouais… le même visage carré… Oh ! regardez le 76, regardez le 76 !

— Oh *shit* ! Avez-vous déjà vu ça, des cuisses comme ça ? s'exclame Lily en donnant un coup sur l'épaule de Ben, à sa droite.

— Pas moi ! rétorque Ray du tac au tac.

Ben lui jette un regard en coin.

— Au ralenti… wow… soupire la brune en s'éventant avec le collet de son débardeur.

— Je me répète, mais… ses cuisses ! dit Lily en se mordant la lèvre inférieure.

Un grognement parvient du fauteuil où se trouve Thomas.

— Mmmm, laissent échapper Sophie et Ray en parfaite synchronisation.

Les trois hommes se consultent. Thomas se lève et éteint la télévision.

— *Alright. Dinner time.*

Les trois amateurs de rugby se dirigent prestement vers la table, sous les regards satisfaits de leurs copines.

Non ? Non. Non ? NON !

— *Girls*… euh, je pense que je suis peut-être enceinte, lance Lily sans préambule en entrant dans la cuisine, toujours en manteau et en bottes de pluie.

— Quoi ? s'exclament ses deux amies.

Ray dépose violemment son roman tandis que Sophie ne termine pas le numéro de téléphone qu'elle composait et raccroche le combiné. Lily fait une grimace de détresse à ses complices pour toute réponse.

— Comment ça ?…

— As-tu eu du sexe sans protection ? demande Ray.

— Ray. Je prends la pilule.

— Deuxième question, d'abord. As-tu déjà pris des médicaments qui auraient empêché ta pilule de faire effet ?

Une main sur la bouche, Lily réfléchit.

— Il me semble que non.

— T'es pas sûre ? souligne Sophie.

— Je pense pas, non, répète Lily, de plus en plus sûre de sa réponse initiale.

Un long silence suit.

— *Oh my fucking God !* Je peux pas essayer de faire quelque chose de ma vie, là, avec un bébé !

— Au nombre d'artistes dans le monde qui ont eu des enfants… tente de dédramatiser Sophie.

— Dis-moi pas ça, geint Lily, j'en veux pas…

— C'est pas des objets, quand même ! Pis de toute façon, tu le fais pas dans le bon ordre. Je suis censée avoir des enfants avant toi ! C'est moi qui suis fiancée ! Pis Tom, lui ?

— On s'en fout, répond catégoriquement Lily. Moi, moi là, c'est hors de question.

— Lily…

— As-tu au moins passé un test de grossesse ? la coupe Ray.

— Non. En avant de l'étalage, à la pharmacie, j'ai, comment dire, paniqué. J'ai senti les regards de tout le monde sur moi.

— On peut y aller, nous autres !

— Quoi ? s'exclame Ray, qui ne veut absolument pas être associée de près ou de loin à une histoire de bébé.

— Laisse donc faire, je vais y aller toute seule !

*

— Je veux pas faire pipi là-dessus ! Je vais me pisser sur les doigts !

— C'est pas comme si t'avais vraiment le choix !

— Je peux peut-être rien faire pis ça va passer ?

— Lily ! Fais pas la conne ! On parle d'un bébé, pas d'un rhume !

Ray frappe fermement contre la porte de la salle de bain où Lily s'est enfermée il y a plus de dix minutes. Sophie, toujours assise à la table de la cuisine, aligne les quatre boîtes de tests de grossesse déjà utilisés et les six autres, au cas où. À ce moment, on entend frapper et, sans prendre la peine d'attendre la réponse, Henry entre, une bouteille de vin à la main. Il arrive dans la cuisine, souriant.

— *Hi, girls ! I wanted to surprise you before the…*

Henry laisse sa phrase en suspens en voyant sa fiancée lire les instructions sur une des dix boîtes de test.

— *What the fuck ?*

Lily sort à cet instant de la salle de bain en tenant quatre tests.

— Bon, j'en ai fait deux, mais j'ai plus envie !

Elle s'arrête devant le grand roux, soudainement pâle. Henry regarde tour à tour les trois amies et finit par tendre sa bouteille de vin à Lily en signe de compassion.

— Tellement ! s'exclame cette dernière.

— Certainement pas, madame ! T'es *fucking* enceinte !

— On le sait pas !

— *So, you're pregnant ?* commence maladroitement Henry.

— Non ! décide fermement Lily en prenant la bouteille.

— Peut-être…

— *Does he know ?*

— *How can he know ? I don't even know myself !* crie Lily à Henry comme si elle parlait au dernier idiot sur terre.

— *When are you gonna tell him ?*

— *Never!*

— *Tonight?* demande Henry en faisant référence au souper de groupe auquel ils s'apprêtent à se rendre.

— *Not tonight.*

*

Un très lourd silence règne dans le taxi. Lily, le regard perdu dans les gouttes de pluie qui dansent sur la fenêtre de la voiture, envisage toutes les possibilités pour éviter d'annoncer la nouvelle à Tom. Ray envisage tous les stratagèmes pour empêcher Lily de boire de l'alcool. Sophie envisage tous les moyens de détourner l'attention de Tom pendant la soirée tandis qu'Henry, lui, préfère ne rien envisager du tout.

*

— *So, do we announce it?*

— *Announce what?* répond Sophie, tout à coup très nerveuse, en se tournant brusquement vers Lily.

— *Yes, announce what, Henry?* ajoute Lily, devenue blême.

Son accent québécois particulièrement marqué trahit sa nervosité. « Il n'a pas le culot d'annoncer que l'amie de sa fiancée est enceinte ? Peut-être enceinte... » rectifie en pensée Lily devant l'air interrogateur d'Henry.

— *But... everybody already knows it. I just want it to be official.*

— Non, non, non ! Y a rien d'officiel ! s'exclame Lily avec force en direction de Thomas tout en se levant de sa chaise.

Instinctivement, sentant qu'elle perd le contrôle de la situation, elle s'apprête à prendre son verre, mais Ray se lève à son tour pour le lui enlever des mains.

— Voyons ! Tu peux pas commencer à boire tout de suite !... On a pas encore commencé à manger !

dit Ray, fière d'avoir trouvé une excuse plausible aussi rapidement.

Ben dépose discrètement sa bière, se demandant si l'interdiction de boire avant le repas est une tradition québécoise que les filles veulent soudainement instaurer en Grande-Bretagne. Ray vide d'un coup le martini de son amie, que Thomas avait servi à sa compagne. Celui-ci observe alors la grande blonde en levant les sourcils. Il passe une main dans ses cheveux en bataille, se demandant s'il est le seul à ne rien comprendre à la situation. Lily et Henry sont toujours debout à s'évaluer du regard.

— Quand même ! C'est pas à toi de lui annoncer ça ! se défend Lily, qui commence à ne plus en mener très large.

— *What are you talking about ?* demande Henry, qui déteste être le centre d'attraction, trouvant qu'il l'est déjà assez à son goût.

— *What are YOU talking about ?* chuchote Sophie pour ne pas trop attirer l'attention sur eux.

La moitié des clients et du personnel du restaurant s'est tue pour observer leur table.

— *Remember, we're getting married !*

Sophie se fige tout à coup, laissant planer un silence.

— *Oh, that's right ! Yes, we're getting married !*

La jeune femme se rassoit lentement, complètement humiliée par son propre manque de jugement.

— *We're just getting married*, répète dans un soupir Sophie au trentenaire en Converse.

Lily se rassoit elle aussi, soulagée à l'extrême d'avoir évité la catastrophe. C'est à ce moment que les convives prennent conscience que le reste du restaurant les applaudit pour l'annonce du mariage. Leur serveur vient leur annoncer que la maison leur offre le champagne pour célébrer les fiançailles. Une fois les coupes servies, les trois femmes se regardent pour savoir quand commencera leur petite comédie. Tout le monde trinque, mais Lily laisse ses lèvres fermement pincées sur le bord de son verre durant les quelques secondes que dure le toast. Henry commande une entrée pour la tablée, puis Thomas se dirige vers les toilettes. Les trois femmes arrêtent instantanément de converser pour le regarder et, au moment où il sort de leur champ de vision, la blonde et la brune s'emparent de leur verre. Après avoir bu le sien, Ray l'échange contre celui de Lily, encore plein, pour en boire quelques gorgées. Sophie l'empoigne à son tour, en vide le contenu, puis le replace devant Lily, qui les regarde en sirotant nerveusement son verre d'eau. Un serveur passe pour ramasser les verres vides, mais Lily l'empêche de prendre le sien.

— *Why?* questionne Ray énergiquement tout en guettant les toilettes pour hommes du coin de l'œil.

Lily lui fait signe d'attendre. Elle verse son verre d'eau dans la coupe à martini. Le regard étonné de Ben passe d'une fille à l'autre, d'un verre à un autre. Il cherche une explication à cette mise en scène. Il se tourne vers Henry. Le grand roux observe les trois filles la tête entre les mains, quasi indifférent. Plus rien ne peut le surprendre, maintenant.

— Ark ! dit la brunette en voyant l'olive dans le verre d'eau.

— Y faut ben ! se désespère Lily.

— *What the fuck?* s'exclame soudain Ben.

— *Don't ask questions, and drink when we'll tell you to drink*, conclut fermement Ray.

Comme ultime espoir, Ben se tourne de nouveau vers Henry.

— *She thinks she's pregnant.*

— *Oh... Does he know...?*

— Non, lui répondent à l'unisson les trois femmes.

*

À la fin du repas, les hommes sortent fumer, laissant les jeunes femmes seules à table. De retour des toilettes, Lily se laisse tomber sur sa chaise.

— Les filles, je suis pas enceinte, OK ?

Elle soupire et ouvre son sac à main pour en sortir un tampon.

— Parce que ça, c'est ce que je viens d'utiliser !

Devant l'expression de dégoût de ses copines, elle précise :

— Pas celui-là ! J'ai mes règles, ça veut dire que c'est négatif ! Sophie, donne-moi ma coupe.

— Bon, on va te faire rattraper ça, d'abord ! lance Ray en faisant signe au serveur pour lui demander d'apporter la carte des vins.

Ben, Thomas et Henry entrent de nouveau dans le restaurant pour retourner à leur table. Au moment où ils franchissent la porte, ils repèrent immédiatement les trois jeunes femmes au bar. Henry s'approche de sa fiancée et l'interroge des yeux quand il voit Lily vider d'un trait la coupe de vin rouge devant elle. Sophie lui sourit en lui tapotant le bras pour lui signifier que tout va pour le mieux. Décidant de ne plus poser de questions sur ce sujet, il s'attaque à l'autre problème.

— *What are you doing?* demande-t-il d'un ton doux en observant les verres qui s'accumulent devant les filles.

— On fait des tests.

— *What are you testing?* demande Tom.

— *We've decided to test the different wines for the wedding here*, s'exclame Sophie, fière de son idée.

Henry, Tom et Ben échangent un regard à mi-chemin entre l'attendrissement et le désabusement. Ayant eux aussi l'esprit festif, ils décident que, pour cette fois, ils participeront activement à l'idée folle de leurs copines. Ils prennent donc place au bar et observent avec attention la serviette de table sur laquelle elles ont entrepris de noter les vins.

— *OK, if I understand, five little... camels?... is good?* demande Henry en observant la liste devant Sophie.

— *Camels ?* répète Ben, qui a déjà un verre de vin à la main.

— *Yes !* On trouvait que des étoiles, c'était plate. Des chameaux, c'est exotique. Ça allait de soi.

*

D'un pas lourd, les filles passent de rayon en rayon et regardent avec minutie les articles sur les tablettes. Elles parlent de tout et de rien, de chaussures et de politique, jusqu'à ce que Ray s'arrête au centre d'une rangée.

— Heille, c'est quoi la différence entre des Tylenol et des Advil ?

Ses amies haussent les épaules avant de lancer chacune une boîte de tampons dans leur panier et de continuer leur tournée de la pharmacie. En passant devant le rayon des préservatifs, Ray saisit une boîte et la lance en riant à Lily, qui ne se donne pas la peine d'essayer de l'attraper et qui la reçoit sur la tête. La boîte tombe mollement par terre. Lily sourit ironiquement et part sans la ramasser. Sophie, par précaution, la prend et la dépose dans le panier.

Mercredi

Le Kweb est dans un demi-sommeil. Ses trois propriétaires sont dispersées. Sophie tient le bar qui, à cette heure de la journée, est davantage un comptoir qu'un bar. Elle jette un coup d'œil à sa montre. Elle attend. Ray passe devant elle. Elle se concentre à faire disparaître les quelques journaux de la veille et à ramasser les tasses et les assiettes sales. La blonde fixe longuement la porte. Elle attend. Lily fait distraitement la conversation à l'unique client du café, assis près d'elle. Elle ose un regard vers l'horloge du bistro avant de se coller le visage dans une des grandes baies vitrées pour voir les passants. Elle attend.

Les heures passent. Elles attendent. Aucune ne parle, personne ne voulant semer l'inquiétude. Mais un pressentiment commence à ronger les trois femmes. Il ne fera qu'augmenter tout au long de la journée. Et il sera insupportable en fin de soirée, lorsqu'elles barreront la porte en regardant de chaque côté du trottoir à travers l'obscurité.

Mr Thompson ne viendra pas aujourd'hui.

*

Une fermeture éclair qu'on ferme lentement, un réservoir de larmes vide et une des centaines de milliers de fameuses petites robes noires de ce monde. Une longue mèche brune reste malencontreusement coincée.

Une main ornée d'une bague noire termine de coiffer, avec une magnifique fleur noire, une chevelure rousse d'une raideur inhabituelle.

Un trait noir sur l'œil droit conclut la préparation de Ray, qui espère ne pas avoir à le refaire trop souvent au cours de la journée.

Trois hommes attendent, assis en silence sur le divan.

*

Un rayon aveuglant transperce un des nombreux vitraux de l'église. Le halo lumineux pointe directement sur le cercueil de bois trop reluisant. Les rares gens présents sont tous désagréablement éblouis. Les trois femmes regardent la poussière danser dans le rayon de soleil. Un avare dirait sûrement qu'elles ont dépensé beaucoup d'argent pour pas grand-chose en voyant le nombre de personnes réunies.

Thomas : l'inondation

Assise au milieu du salon de Tom, Lily joue avec Gorky en contenant tant bien que mal un fou rire.

— *He's a Tao !* s'exclame-t-elle en souriant, la tête du chien entre les mains.

— *No !* lui réplique immédiatement son copain.

— Oui ! supplie-t-elle.

Les deux jeunes gens s'affrontent du regard. Lily reprend :

— *OK, he's an... Esteban !*

— *Where the fuck are you picking those names ?* s'étonne Thomas sans cacher son exaspération. Il se retient tout de même de demander pourquoi elle tient autant à changer le nom du chien.

— *It's a boy, so it can't be Zia !*

— *What ? Have we ever talked about Zia ?* demande l'homme.

— *No, but... look at its pretty face,* dit la rousse en regardant le chien blond par terre.

Le couple observe en silence le chien qui renifle le tapis, puis le divan, puis encore le tapis.

— *He's a Jonathan !* assure soudainement Lily.

— *That's one of my friends' name,* soupire Thomas en enfilant son chandail de laine.

— *Me too ! And I don't care !* s'exclame la jeune femme en levant les bras.

— *Anything you want, but not Jonathan !* s'impatiente Thomas en chaussant ses Converse.

— *Alright, so it will be... Métabetchouan !* lance-t-elle, victorieuse.

— *You're fucking kidding me !*

Thomas commence à être sérieusement exaspéré, et Lily n'aide pas sa cause lorsqu'elle lui réplique en souriant ironiquement :

— C'est clair !

— *Please, seriously... I really need to go, if we could...* demande Tom en se plantant devant elle.

— *OK! Let's go with... mmmm... Michael Bublé?*

— Lily! explose-t-il en la regardant avec impatience.

— *OK, sorry, sorry.*

— *So the last call is...*

— Euh... Non, pas ça, OK... Attends...

La rouquine se creuse vraiment les méninges pour trouver un nom qui plaira à Thomas, ce qu'elle trouve particulièrement difficile.

— ... Attends... *It's... it's... Cinnamon!*

— *Yes. That's good. I like it. Let's go with Cinnamon*, décide-t-il.

— *Really?*

Lily le dévisage, surprise qu'il accepte un de ses noms sans y redire quoi que ce soit.

— *Yes*, approuve Thomas.

— *Nice!*

*

Lorsque Thomas rentre du travail, il monte difficilement les marches jusqu'à chez lui. Il n'a que trois choses en tête: prendre une douche, embrasser Lily et s'endormir. Il entre et trouve sa copine assise sur le divan. Il voit immédiatement que celle-ci pleure à chaudes larmes, en silence. Devant elle, le chien dort profondément, couché sur le tapis. Thomas s'assoit près de Lily et la regarde pendant que celle-ci regarde fixement la télévision.

— *You're not crying because Uma Thurman wants to kill Bill, are you?*

Lily secoue la tête de gauche à droite en reniflant légèrement.

— *We can't change his name!*

— ... *What?* demande-t-il doucement, un peu déstabilisé.

— *We cannot not call him Gorky anymore! Mr Thompson is dead, and look, look! Gorky recognizes his own name!*

Lily pointe Gorky, qui remue à peine le nez dans son sommeil.

— *I want to call him Gorky again... Can we?*

Thomas glisse son bras autour des épaules de Lily pour l'attirer contre lui. Il se retient de soupirer fort.

— *So we looked for a new name for... nothing?* lui reproche-t-il calmement.

— *Yes?*

— *OK.*

Home Sweet Home

Ray se retourne vers ses deux amies, cherchant l'approbation dans leurs yeux. Sophie lui répond par un léger hochement de tête et Lily esquisse un mince sourire. Comprenant qu'elle n'obtiendra rien de plus, la blonde insère la clé dans la serrure et ouvre la porte en retenant sa respiration. Les trois Québécoises s'avancent, cherchant un interrupteur dans cet appartement qui leur est étranger. Elles entrent lentement, en silence. Tout en laissant le bruit de leurs chaussures remplir l'endroit, elles observent ce qui les entoure. Dans le salon, les meubles dépareillés semblant provenir d'une autre époque, ce qui est probablement le cas. Tout est vieux, même l'odeur. Les pièces débordent d'objets inutiles et d'autant de souvenirs. Sophie s'immobilise devant un des murs du salon. Celui-ci est nu, mis à part une vieille photographie représentant deux jeunes enfants souriants. Sophie sent immédiatement les larmes lui monter aux yeux lorsqu'elle croit reconnaître quelques traits familiers de Mr T. Derrière elle, la jeune femme entend Lily s'enthousiasmer à propos de lampes qu'elle n'a pas eu le temps de remarquer. Sophie renifle, s'étant juré de ne pas pleurer ; elles l'ont toutes trois assez fait ces derniers temps. Elle sent le parfum de Ray derrière elle et, du coin de l'œil, aperçoit Lily qui se dirige vers la cuisine. Sophie voit son amie, le visage fermé, ouvrir tiroir après tiroir.

*

Dans le frigo, du jus de raisin, du thon, des conserves maison, du lait et… de la nourriture pour chiens. Sur le frigo, une carte du Kweb, une photo des trois filles en compagnie du vieil homme et un billet du London Underground datant d'il y a dix ans.

*

Dans ce vieil appartement, le temps semble s'être arrêté il y a plusieurs décennies. Les électroménagers datent d'une époque révolue. Même la tapisserie des murs paraît aussi âgée que le défunt locataire.

Ray empile les vieux livres dans des boîtes ; presque tous les titres lui sont inconnus. Lily est assise au centre du salon, entourée de papiers jaunis et de photos. Sophie passe d'une pièce à l'autre en longeant les murs pour écouter le silence. Une réalité est imprégnée partout sur les murs : Mr Thompson était seul. Personne pour le pleurer, personne pour s'occuper de ses biens, de son corps, de Gorky.

Personne, sauf trois jeunes femmes qui avaient trouvé en lui un ami, un grand-père, un vieil homme nostalgique au cœur d'enfant.

*

Dans la chambre, plusieurs étagères où s'entassent des boîtes de photos, en noir et blanc pour la plupart. Une en particulier retient l'attention des trois femmes. On y voit un homme et une femme dans la vingtaine. L'homme pose fièrement à côté d'une moto sur laquelle la jeune femme à la robe fleurie est assise et rit à gorge déployée.

— Il était beau…
— Vous pensez que c'est sa femme ?
— Elle est sur plein de photos…
— Peut-être que c'est son grand amour et que quelque chose les a séparés, et il s'en est jamais remis.
— Sophie…
— Quoi ? Il a pas d'enfant, quelque chose est certainement arrivé…
— Peut-être.

Thomas : l'irritation

Lily tient fermement la laisse de Gorky qui, ayant compris qu'il allait se promener, ne tient plus en place. Tom, aux pieds de la rouquine, attache lentement ses chaussures.

— T'es pas obligé de venir si tu veux pas.
— *Really ?* demande-t-il en haussant un sourcil.
— C'est sûr que ça serait le fun…
— *That's what I thought*, grogne Tom en retour.

Il prend une grande inspiration pour se lever et sortir de chez lui. Sa copine lui fait un sourire plein d'encouragements. Elle se rapproche de lui pour l'embrasser délicatement.

— *It will be good for your health*, lui murmure-t-elle d'un air angélique.

Avant de sortir, Tom lui répond en riant :

— *Don't try to encourage me, it doesn't work, Lily.*
— *You really wanna run with those shoes ?* demande-t-elle en regardant la paire de Converse d'un œil incertain.

Le soir même, Lily dessine avec ferveur sur les serviettes en papier du restaurant. Une parole de chanson ici, un petit poussin aux yeux étranges là, une paire de bottes entourée de fioritures un peu plus loin, dans un coin.

Elle attend Thomas. Elle finit par commander après quarante minutes d'attente. Le serveur lui lance un regard plein de sollicitude et lui propose même de l'appeler à la fin de son service, offre qu'elle accepte presque, sous le coup de la colère. Vers 22 heures, Lily sort du restaurant en remontant le col de son manteau. Elle jette un coup d'œil à son téléphone pour voir si Tom n'aurait pas tenté de la joindre. Toujours devant l'entrée du bâtiment, hésitante, Lily fait la première chose qui lui vient à l'esprit.

— Allô, Ray ?

— Heille, pis, ta soirée ?

— De la marde, de la crisse de marde.

— Comment ça ? Vous vous êtes engueulés ?

— J'ai même pas eu le plaisir encore !

— Hein ? Quoi ?

— Il s'est juste jamais pointé. Je suis censée faire quoi, là ?

— Tom est pas là ?

Lily entend la voix de Ben qui chuchote à Ray. La jeune rousse tente d'y saisir quelque chose, mais la réponse de Ray lui suffit pour comprendre.

— *What ? You had dinner with him earlier ?*

— Raison de plus pour te demander ce que je suis supposée faire dans cette situation-là, non ? demande de nouveau Lily en commençant à marcher lentement dans la rue pavée.

— Tu sais que si tu parlais à Sophie, elle te donnerait un conseil très différent du mien… commence Ray.

— C'est pour ça que c'est toi que j'ai appelée.

— Ben me dit qu'il devrait être chez lui. Va lui rendre une petite visite de courtoisie.

— Bonne idée.

— Tu nous donnes les détails ?

— Certain, termine Lily en tournant le coin de la rue.

En arrivant dans Soho, Lily demande au taxi de s'arrêter pour faire le reste du chemin à pied. Sans broncher, elle grimpe les escaliers de l'immeuble de Tom.

— *You didn't show up!* s'exclame-t-elle devant Tom, qui vient d'ouvrir la porte de chez lui, content de voir sa copine.

— *Fuck! We had planned dinner? Are you sure?*

— *Yes I am!*

— *I'm sorry, I was eating with Ben and some friends.*

— *Couldn't you tell me you weren't available? Call me, at least. That would have been nice! I waited alone an hour for you! I cancelled my plans with the girls for you!*

— *I'm sorry.*

— *Yeah, so am I,* lance hargneusement Lily avant de tourner les talons et de héler le premier taxi sur sa route.

27 mai

Ray et Lily fixent le prêtre depuis quelques minutes sans l'écouter. Après en avoir terminé avec cette activité, elles tentent de trouver une autre occupation pour passer le temps. Elles croisent alors le regard de Ben et de Tom. Les premiers échanges muets se cantonnent aux œillades endormies et aux roulements d'yeux. Tandis que Ray pointe ses chaussures pour souligner l'ampleur de son désarroi, Lily sort discrètement le bout de sa langue en fronçant le nez. Saisissant l'occasion, les deux hommes tirent la langue à leur tour. En surveillant régulièrement autour d'elles pour s'assurer que personne ne les remarque, Ray et Lily enchaînent les moues tristes et les grimaces subtiles. Un rire enfantin les ramène subitement à la réalité. Les deux demoiselles d'honneur voient alors Alice rire aux éclats tandis que leurs mères, assises aux côtés de la fillette, leur lancent des regards meurtriers. Voyant cela, Ben et Tom jugent plus approprié et plus prudent de reprendre leur sérieux.

Your Mother Should Know

La cuisine de l'appartement est enfumée par les nombreuses cigarettes grillées. Quelques bouteilles de bière et de vin vides reposent sur la table, et les rires fusent à tout moment.

— J'aime pas ce jeu-là, se plaint doucement Lily pour la dixième fois de la soirée.

— Moi non pluuuus, poursuit Ray avant de déposer son verre de vin en faisant de grands gestes.

— *Oh, come on, girls! We all used to play that game when we were teenagers!* s'exclame Henry dans la cacophonie ambiante. *It's like we're teenagers again! OK, it's my turn*, dit-il dans un état d'ébriété qui le rend plus bavard qu'à l'ordinaire. *Never have I ever... kissed someone in this room!*

Les six adultes échangent des regards brumeux avant de boire une gorgée.

— Hostie que t'es cave... lance vainement Sophie.

— *OK then, I'll do better*, continue-t-il. *Never have I ever... kissed someone else than my... « life partner »... in this room.*

Ben et Lily se regardent et lèvent leurs verres.

— Le théâtre, soutient la rousse.

Thomas tente un faux air menaçant à l'intention de Ben, qui lui tend une autre bière pour régler le tout à l'amiable. Tom quémande tout de même un bisou, que Lily lui offre avec grand plaisir. Il rompt le langoureux baiser lorsqu'une idée lui vient en tête.

— *It's my turn!* Il observe la tablée. *Never have I ever... kissed a girl.*

Fier de son affirmation, il se tourne vers les deux hommes qui, blasés, s'observent en buvant. Les trois filles se regardent elles aussi et essaient discrètement de dissimuler leurs gestes.

— *What?* Thomas est le premier à réagir. *You've kissed a girl?* demande-t-il à Lily.

— *Youth and alcohol* et… le théâtre, évidemment.

Ben et Henry lèvent les sourcils. La question est réglée pour Lily, mais Ray et Sophie ont bu elles aussi…

— *You kissed girls?* demande Ben à Ray après un moment de réflexion.

Il s'extirpe difficilement de sa chaise pour aller chercher ses cigarettes au salon.

— *Did you… hum…*

Henry pointe tour à tour Ray et Sophie.

— *WHAT?* s'écrie Sophie. *NO!*

— *Hey, calm down. I mean, that would have been hot…* dit le roux en allumant la dernière cigarette de son paquet.

— Euh, *no!* répond simplement Sophie.

— *I'm open-minded, I could accept that*, ajoute Lily en riant et en empruntant la cigarette de Tom.

La brunette la dévisage avec de petits yeux.

— *Then…* commence Ben en s'asseyant de nouveau.

— Moi, dit Ray, peu fière d'elle, s'parce que j'étais dans un club, pis euh, le DJ a dit que les filles qui voulaient des shooters gratuits devaient…

Ray a à peine le temps de finir sa phrase que toute l'assemblée éclate de rire.

— *For a shot?* s'exclame Ben en se débouchant une autre bière.

— Gratuit, souligne Ray.

Ben se tourne vers Lily:

— *You knew that?*

— *Of course, I was there.*

Henry est étendu sur sa chaise et regarde le plafond en riant tandis que Thomas tient sa tête dans ses mains, l'air découragé. Lily, inspirée, prépare quelques shooters pour le groupe.

— *And what about you?* demande Henry.

— *I was in university, and I hung out of a party when one of my friends stared at me for a few seconds, and then she just kissed me, like that, in the middle of the street!*

Les deux autres femmes hochent la tête d'un air entendu. Ben secoue doucement la sienne pour rigoler et Henry rit doucement avant de se pencher sur sa copine.

— *Maybe you're just too attractive.*

Il l'embrasse sur la joue et se cale à nouveau dans son siège.

— *OK, it's my turn!*

Ray se redresse et s'appuie sur la table.

— *Payback is a bitch, boys! Never have I ever kissed a guy?*

Sans perdre une seconde, les filles boivent d'un trait les shooters servis par Lily et attendent de voir quels hommes feront de même. Ben prend une grande gorgée de bière. Le théâtre, bien sûr. Henry lève avec beaucoup plus de gêne son propre verre.

— *What? You kissed a guy, too? How come?*

Sophie s'anime tout à coup.

— *Hum, when I was a kid, I studied in a college for boys…*

— *A kid or a teenager?* le coupe Sophie.

— *Let's just say I wasn't very old… There was that boy, a friend of mine… We used to meet in the toilets…*

— *IN THE TOILETS?* crie Sophie.

— *No, I mean…*

Le grand roux tente de se rattraper.

— *The first time, we met in the toilets, but we didn't kiss there… We used to kiss…*

— *Oh, because you kissed him more than once?*

— *Yes, eh, no, I mean, let me finish…*

Thomas : l'abdication

— *You're leaving?*

— *Lily, I will not refuse that offer, I'm sorry, I want to do it*, s'enflamme Tom. *I'm leaving for New York to record the new album.*

— *Do whatever you want*, laisse tomber Lily, fataliste, en se levant avec difficulté du divan défoncé.

— *What are you doing, Lil'?* ose Tom d'un ton doux, toujours assis confortablement.

Les barrières de la jeune femme sont sur le point de céder. Elle a l'impression de se disputer constamment avec lui dernièrement, et le comble, c'est qu'il part dans cette atmosphère houleuse. Mais il est hors de question de pleurer. Lily est fière. Elle tente de conclure la discussion le plus rapidement possible avant de perdre le contrôle. Elle doit faire une sortie digne. Du moins respectable, ou alors seulement pas trop pitoyable. Sans un mot, elle prend son manteau et, en l'enfilant, aperçoit la laisse de Gorky suspendue à côté de ses bottines. Sans réfléchir, elle la prend et l'attache au collier du chien, déjà assis dans l'entrée et très fébrile, tenant pour acquis qu'il sort lui aussi dès que quelqu'un enfile des chaussures.

— *I'm taking Gorky.*

— *Where are you going?* lui demande Thomas, inquiet.

— *I… I'm just going for a walk.*

*

— T'es où, au juste ?

— Je suis en train de piquer une jasette à mon vieil ami Chaplin. Dommage qu'il soit en bronze, je suis sûre qu'il aurait eu un point de vue intéressant à m'offrir…

— On arrive, bouge pas.

Ray ferme son téléphone brusquement. Sophie l'attend déjà dans l'entrée, le manteau sous le bras, et lui donne le sien.

— *Leicester Square*, lance-t-elle en prenant les clés de l'appartement qui attendaient sagement sur la table.

*

Ray regarde son amie en silence depuis quelques minutes. Sophie s'assoit sur le banc, tend un café à Lily et prend Gorky sur ses genoux.

— Qu'est-ce qui se passe ?

— Rien.

— OK.

Lily, ses cheveux cachés sous sa tuque, le nez emmitouflé dans sa veste de laine, fixe sa tasse fumante. Devant les yeux insistants de ses deux amies, elle soupire :

— Faut qu'il parte…

— Ah.

— Les États.

— Ouch… combien de temps ?

Lily ne fait que hausser les épaules.

— Ayoye.

— Des fois, je me demande si ça vaut vraiment la peine de continuer.

Henry and the Fellowship of the Ring

Un bruit de clés se fait entendre dans la serrure. Ray et Lily sont assises dans le salon, une tasse de café à la main, profitant de leur journée de congé. Des pas montent du couloir et se dirigent vers le salon. Henry y fait son entrée et s'assoit près des deux Québécoises. Voyant qu'il ne dit pas un mot, Ray tente une approche :

— *Sophie is working.*

— *I know.*

— *She won't come back until five and it's... ten in the morning.*

— *I know.*

— *So?* demande encore Ray.

— *I need to buy her an engagement ring.*

*

— *Stop flirting with the Frenchies!*

— *We're just being nice to them.*

— *I need your help*, dit Henry d'un ton neutre mais autoritaire.

— *OK!*

— *What about this one?*

— *Not big enough*, lance Ray avant de se retourner vers le jeune homme avec qui elle discutait.

— *That one!*

— *Too big, she's not a prostitute*, répond Lily sans prendre davantage le temps de regarder la bague.

— *We're getting out of here.*

Sans plus de paroles, Henry sort de la bijouterie, suivi de près par les deux femmes. Elles l'ont traîné de force dans Greenwich puisqu'elles y ont déjà découvert des bijouteries intéressantes par le passé. De retour dans la voiture du grand roux, celui-ci décide de se diriger vers Westminster et de prendre les choses en main.

— *Get out of the car.*

— *What?*

— *Get out of the car*, répète Henry après s'être garé et en sortant lui-même de la voiture.

Ray et Lily débarquent à leur tour et voient Henry tendre les clés de sa voiture à un voiturier. Elles lèvent les yeux vers l'immeuble qui se dresse devant elles. Deux hommes en habit ouvrent les portes à tous ceux qui osent les franchir. Sur la pierre grise de la façade, le nom de l'édifice brille de tous ses feux. Henry salue de la tête les deux portiers avant d'entrer dans le hall couvert d'un tapis rouge. Il se dirige naturellement vers la gauche. Ray et Lily le suivent en silence, encore sous le choc de ne pas s'être fait refuser à l'entrée.

*

— *We're looking for an engagement ring... not too big, but not too small either.*

— *Of course, Sir. It may take some time, but I am convinced we will find exactly what you need. Please follow me.*

— Parce qu'en plus d'être à la bijouterie du Ritz, le monde te reconnaît ?

— *What ?*

— OK, Ray, on est au Ritz pis le monde le connaît ! C'est grave...

— Reste concentrée, on est là pour Sophie.

« *You know, I don't have the emotional range of a teaspoon* »

Tom observe le grand immeuble tandis que Ben gare la voiture. Tout se déroule dans un silence lourd et éloquent depuis leur départ de l'aéroport. Ben a observé son ami du coin de l'œil tout au long du trajet, essayant de deviner, en vain, ce à quoi il pouvait bien penser. Un échange de regards a mis fin à une conversation qui n'avait tout simplement pas lieu de commencer. Les deux hommes sortent de la voiture, et Ben aide son copain à monter ses bagages jusqu'à son appartement. Sans prendre le temps d'ouvrir les lumières, Tom se débarrasse de façon désinvolte de ses clés et fait signe à Ben de déposer les bagages dans l'entrée. Il lance son manteau de cuir sur le divan et se tourne pour remercier Ben d'être venu le chercher à l'aéroport, mais il arrête son geste lorsqu'il voit son expression. Ben a refermé la porte et se tient adossé au mur, les mains dans les poches, prêt à rester. Tom soupire.

— *You want a beer?*

Ben acquiesce et va au salon pour se laisser tomber sur le divan. Tom le rejoint, deux bières à la main.

— *I know*, soupire Tom, toujours debout.

— *No, you don't*, lui répond Ben d'un ton ferme. *I worked with her for several weeks, I've known her since I'm with Ray. She's been depressed since you left.*

Thomas écoute en silence.

— *She loves you, even if she doesn't show it a lot. Will you do absolutely nothing and fuck everything up, or will you avoid that?*

— *Yep*, marmonne Tom pour lui-même, une main dans les cheveux.

Ben secoue la tête à la réponse tout sauf claire de son ami et boit une gorgée de bière.

Thomas: la confrontation

Tom s'approche discrètement de Ray et Sophie, toutes deux derrière le bar du Kweb.

— *Things are fine with Lily.*

Sophie se retourne en sursautant, imitée par Ray. Les deux femmes se regardent brièvement avant de dévisager Tom pendant quelques secondes.

— *It wasn't funny at all*, commence Sophie le plus sérieusement du monde.

Tom soupire.

— *I know, but it wasn't entirely my fault. We just couldn't make things work. But I'll try harder.*

— *Well, you probably should have tried harder before she spent two months barely eating and watching TV all day*, crache Ray en se redressant.

Tom se tourne vers la brunette, cherchant dans son regard un peu de compassion, mais il ne voit que deux yeux plissés qui le scrutent avec fureur.

— *It won't happen again.*

— *Yeah*… dit Sophie en faisant la moue, comme si elle n'en croyait pas un mot.

— *Really. I'm gonna make it work. I love her.*

Ses dernières paroles étaient trop sincères pour ne pas toucher les deux jeunes femmes.

— *Yes, we know*, répond Ray en cherchant ses mots, *but… you… I don't think you know that you're kind of a priority for her, and if you don't make concessions…*

Le trentenaire observe avec attention les deux amies qui le dévisagent gravement.

— *A priority, after you two girls.*

Elles haussent les sourcils, l'air entendu.

— *OK, let me see if I get it: a man's lucky to be the third priority*, émet-il.

— *Yes*, disent Ray et Sophie en chœur.

— *I'm a lucky man, then*, lance Tom en s'assoyant finalement au comptoir.

27 mai

— Câlisse, les filles ! Une heure de votre vie ! Est-ce qu'une heure de votre vie, c'était trop vous demander ?

La mariée les regarde tour à tour, le regard noir.

— C'était long… se plaint Ray.

Sophie entend quelques notes de culpabilité dans la réponse de son amie. Elle en rajoute tout de même, pour la forme.

— Une heure, crisse !

— T'es pas fâchée pour vrai, hein ? demande Lily avec un ton d'enfant blessé.

La brunette respire profondément.

— Non.

— Est-ce qu'on va pouvoir continuer à faire des grimaces pour les photos, d'abord ?

— Qu'est-ce que t'en penses, Ray ? Sérieusement, pensez-y deux secondes. On fête pas mes onze ans, les filles, je me marie !

Paris

Lily, les deux mains encerclant sa tasse de café brûlant, les yeux rivés sur les mouvements à l'extérieur, est seule. Observant la rue à travers la baie vitrée, elle réfléchit. Par ce temps froid, il est hors de question que la jeune femme passe outre à la douce nécessité de la pause café. Avec un soupir censé lui donner du courage, Lily dépose sa tasse pour se reconcentrer sur son texte. On lui a proposé une audition pour un rôle de premier plan dans une prochaine production de théâtre indépendant. Par contre, depuis près d'une heure, elle tente d'échapper à sa lecture par tous les moyens. Une sonnerie agressante et suraiguë se fait alors entendre. Lily sursaute et cherche frénétiquement son cellulaire dans son gigantesque sac à main. Son afficheur lui indique que le numéro est inconnu. Par réflexe, elle répond en anglais. On lui répond alors dans un français impeccable. Elle affirme à son interlocuteur qu'il ne s'est pas trompé de numéro.

*

Bercée par les secousses du train, Lily regarde avidement son écran d'ordinateur tout en se rongeant l'ongle du pouce jusqu'au sang. Les écouteurs bien ancrés sur les oreilles, elle lit et relit depuis plusieurs heures les mêmes pages, les mêmes lignes, effrayée à l'idée de changer le moindre détail. Il a aimé son texte. Quelques jours plus tôt, elle a reçu un appel la convoquant à Paris pour discuter d'une éventuelle adaptation cinématographique. Il y aura quelques producteurs et collaborateurs, des amis à lui.

Lily ferme son ordinateur d'un coup sec. Il a aimé sa pièce.

Can't Touch This

— Nooon ! Touche pas à ça !

Ray se retourne vivement pour voir Sophie se précipiter sur elle et assener une claque sur la main qu'elle vient de poser sur une pile de papiers. La blonde soupire et rétorque :

— C'est parce que ça prend toute la table, tes petits tas de papiers, là. J'aimerais ça avoir un coin pour travailler.

— *Nooo*, ça reste là jusqu'à ce que Lily revienne et les ait tous regardés.

— Mais c'est quoi ?

— C'est des thèmes pour le mariage, s'enthousiasme la brunette. Dans chaque pile, il y a des photos de nappes, de napkins, de gâteaux, de fleurs… Ici, c'est champêtre, là, on a du classique anglais… Celui-là, c'est du classique américain, il y a aussi rétro chic, glamour…

Ray interrompt la brunette d'un geste de la main.

— T'as classé des photos de magazines selon des thèmes de mariage ? rit-elle.

— Oui ! Faut ben commencer à l'organiser, ce mariage-là ! s'exclame Sophie d'un ton quasi hystérique.

— OK, respire un petit peu…

— Personne m'aide, il y a juste Lily qui donne des fois son avis, quand elle est pas trop occupée. Pis là, elle est partie pour trois jours…

— Ben là…

— Non, c'est vrai, tout le monde travaille pis Henry s'en crisse !

La blonde observe un instant son amie, les traits tirés et les yeux cernés, qui se laisse tomber pesamment sur une chaise.

— Je peux les regarder, moi aussi ? demande finalement la blonde en s'assoyant à son tour.

« Quand on rencontre un homme, un sourire vaut trois parts de bonheur »

En ce lundi ensoleillé, les trois jeunes femmes déambulent dans le centre-ville londonien et cherchent à se laisser tenter par quelques trouvailles. Mathéo et Robin sont au Kweb tandis que les gars assistent à un match de rugby.

— Regarde celle-là, elle est jolie ! commente Lily en montrant une robe à Sophie alors qu'elles viennent tout juste de mettre les pieds dans une friperie.

— Bof… elle est jaune moutarde, répond son amie en faisant la moue avant de passer devant Ray.

Elle continue son chemin à l'intérieur de la boutique aux allures vaguement ringardes.

— T'es pas obligée de toujours porter du bleu ! s'exaspère la rousse, qui laisse la robe derrière elle pour se diriger vers les bijoux étalés sur le comptoir.

— De toute manière, c'est une large, elle te fera pas, dit Ray en examinant le vêtement à son tour.

Parmi les dizaines de tringles suspendues partout dans le magasin, les trois jeunes femmes fouillent pour dénicher les perles rares.

— Regardez ce que j'ai trouvé ! s'émerveille Lily.

— Oh mon Dieu ! Un chandail des Expos ! Mais qu'est-ce que ça fait ici ?

*

— J'ai faim, souligne Lily pour la troisième fois parmi la foule amassée à l'intersection.

— On va manger où ? demande la brunette.

Les trois amies sont immobilisées dans une artère particulièrement achalandée et réfléchissent à ce qu'elles ont envie de manger. Ray opterait pour du thaïlandais, Sophie veut plutôt de l'italien et Lily ne peut retenir une exclamation de surprise :

— *Shit !*

— Quoi ? s'indigne la blonde. Ça fait longtemps qu'on a pas mangé du thaï !

— De l'italien aussi, je te fais remarquer ! se défend Sophie.

— C'est pas ça ! Regardez ! crie Lily, les yeux ronds, en pointant frénétiquement l'amas de piétons qui traverse.

Ray la dévisage, pas tout à fait certaine de comprendre ce que son amie veut dire.

— Oui, la lumière est verte, mais ça donne rien de traverser, on sait même pas où on va… commence la blonde avec sarcasme.

— Justement, faudrait se décider pour…

La rousse, sur le bord de la crise de nerfs, interrompt son amie.

— C'est Louis, couine Lily en faisant des gestes frénétiques vers la rue.

— Louis… Louis ? Où ça ?

— Dans le tas de monde qui traverse ! À gauche, là !

Ray scrute la foule tandis que Sophie se met sur la pointe des pieds pour en faire autant.

— *Shit !* Je le vois ! crie Ray.

— Où ça ?

Sophie, frustrée, ne le voit toujours pas.

— Ici ! répond Louis, qui se trouve maintenant devant elle.

Un jeune homme brun de taille moyenne leur fait face, un sourire ironique aux lèvres. Il tient par la main une petite jeune femme aux cheveux frisés. Il semble mal à l'aise, non pas d'avoir rencontré les filles mais qu'on l'ait vu alors qu'il est accompagné. Ray le fixe, outrée, car il ne lui avait pas dit qu'il venait à Londres. Même s'ils ne se voyaient plus, ils se donnaient régulièrement des nouvelles par courriel. Sophie leur adresse un sourire visant à encourager la conversation. Entre les cinq jeunes gens, c'est l'inconnue qui semble la moins déstabilisée. Elle se présente à Sophie :

— Mais quel hasard ! Wow ! Louis m'avait dit qu'il avait des amies à Londres, mais de là à se croiser dans la rue ! Moi, c'est Caroline.

Sophie lui tend la main tandis que le jeune homme, avant toute salutation, se sent obligé de mettre les choses au clair :

— Caro est ma fiancée.

Les trois Londoniennes d'adoption accusent le choc sans se départir de leurs sourires. Ça non plus, Ray ne le savait pas.

Lorsque Sophie lâche la main de la jeune femme, elle remarque une bague ornée d'une discrète pierre sur son annulaire gauche. Elle porte elle aussi une bague à ce doigt, mais la pierre est beaucoup plus grosse, ce qui n'échappe pas à Caroline.

— T'as une belle bague !

Sophie aperçoit alors une occasion de revanche et répond en fixant Louis dans les yeux :

— Merci ! Moi aussi, je suis fiancée. On allait justement manger, venez avec nous !

Le sourire hypocrite de Sophie ne dit rien de bon à Louis, qui connaît les trois amies depuis le secondaire, mais ravit Ray et Lily.

*

Depuis presque deux heures, Caroline semble hypnotisée par les récits des trois jeunes femmes. Elle touche à peine à son assiette. Leurs histoires n'ont pourtant pas l'air de ravir son fiancé, déjà au courant de plusieurs de leurs péripéties et qui a l'impression que ses amies prennent un malin plaisir à décrire les merveilleux détails de leur vie anglaise. Et il n'a pas tort.

— Oh ! Et vous êtes tous les deux invités à mon mariage, bien sûr... Vous allez bientôt recevoir le faire-part !

— Ça se passe à Londres ? demande joyeusement Caroline.

— Bien sûr !

— On a pas vraiment l'argent pour revenir, désolé, s'excuse Louis, pas malheureux du tout, en haussant les sourcils.

— Voyons, s'exclame Sophie, c'est nous qui payons !

Elle éclate d'un rire qui ressemble étrangement au ricanement mondain de sa belle-mère. Lily et Ray se mordent les lèvres pour ne pas éclater elles aussi. Caroline se tourne vers Louis avec un regard suppliant. Après avoir entendu les anecdotes des trois jeunes femmes, elle ne souhaite qu'une chose : participer à l'une de leurs histoires, surtout s'il s'agit d'un mariage mondain. Si les yeux de Louis pouvaient lancer des poignards, Sophie serait à l'agonie. Il acquiesce lentement. Sa fiancée crie de joie. Quelques minutes plus tard, elle s'excuse pour aller aux toilettes. Louis regarde ses amies en secouant la tête :

— Vous êtes contentes là, hein.

— Oh que oui, monsieur, répond Lily du tac au tac.

— Ça t'apprendra à me cacher des affaires de même, le sermonne Ray.

— Vous rendez-vous compte que c'est méchant, ce que vous faites ? Je vais entendre parler de vous pendant des mois !

— On a jamais dit qu'on était gentilles, Louis, répond Sophie avec un sourire narquois.

La grosse église des gens importants qu'on va appeler la grosse église des gens importants

— Vous allez vous marier où, au juste ?

— Sûrement dans une église… dans une grosse église, si on veut être capables de rentrer toute la famille d'Henry…

— Y compris leurs egos et leurs titres de noblesse ! ajoute Lily dans son verre.

Par solidarité avec son futur époux, Sophie regarde son amie d'un air qui se veut sévère tandis que celle-ci rigole de sa propre blague.

— Je me trouve tellement drôle, des fois…

— Moi aussi, l'encourage Ray.

— C'est ça, liguez-vous contre moi ! Une petite église toute simple, dans un coin tranquille…

— C'est pas Henry qui parlait de l'abbaye de Westminster ? renchérit Lily sur sa lancée, tandis que Ray fait mine d'y penser avant d'acquiescer.

Les *boss* de la noce

— On a passé toute la soirée à faire ça, hier, regarde… dit Sophie en tendant à Henry une immense feuille de papier.

— *It's the seating chart for the reception*, ajoute Ray, fière du travail accompli.

Henry jette un rapide coup d'œil et leur rend le plan de salle avec un haussement d'épaules.

— *It won't work…*

— *Why?*

Sophie se penche nerveusement par-dessus l'épaule d'Henry, assis sur le divan, afin de vérifier le plan pour la centième fois.

— *The Smiths can't be with the Johnsons at the same table, they're competitors in business…*

— *Why didn't you tell me before?*

Sophie regarde tour à tour son fiancé, puis son plan de salle, d'un air découragé. Elle s'assoit à côté d'Henry sur le canapé. Lily et Ray s'approchent à leur tour.

— *The Potter family cannot be seated with the Connerys because*, ajoute-il sur le ton de la confidence, *their sons are in different rowing teams... They get very competitive about it !*

Les trois femmes le dévisagent, abasourdies.

— *And you do not want the Pritchard family right in front of the head table...*

— *Why ?* le coupe Sophie, curieuse.

— *You don't want to know.*

— *Oh yeah, we do want to know !* s'exclame Ray.

— *It's because my grand-uncle eloped with one of the Prichard girls.*

— *Like fifty years ago ?* répond Sophie, déçue.

— *Yeah, but it's still a big deal.*

Sophie replie ses jambes sous elle, refait sa queue de cheval et s'adresse à Henry :

— *You know what ? We're doing the room plan again, but* together *this time.*

Ça ne faisait pas partie du plan

— On n'avait pas prévu ça...

Depuis un moment déjà, les trois filles ont arrêté de travailler pour observer la scène. Mathéo, qui passe et repasse près d'elles, s'arrête alors à leur hauteur, chiffon à la main, et regarde dans la même direction que ses patronnes pour voir ce qui attire leur attention à ce point. Il penche légèrement la tête de côté.

— Quel étrange tableau... murmure-t-il.

Il fronce les sourcils comme s'il se concentrait sur un problème complexe. Affalés dans les divans du Kweb, Ben et Tom chantent tandis que ce dernier les accompagne à la guitare. Henry est installé confortablement, une bière à la main. Il remue la tête au rythme de la musique et commente la chanson comme il le peut.

— Ils se sont donné rendez-vous ici… commence Sophie.

— … sans nous le dire… continue Ray.

— … et vont souper ensemble… poursuit Lily.

— … sans nous, termine Sophie.

— Les filles, je crois qu'ils sont amis.

The Monster

— *Girls, did you buy the dress?* demande Henry en poussant Ray du coude afin de pouvoir s'installer à côté de sa copine sur le divan de l'appartement.

— Une robe, pourquoi ? lui demande Sophie avec difficulté, encore dans un état d'ébriété légère en ce samedi matin.

— T'as un party ? renchérit Lily, les sourcils froncés, en regardant son amie.

— *The wedding dress, girls!*

— Ah ça, c'est dans trois mois, on a le temps de faire une sieste avant, s'il te plaît, murmure la brunette en se blottissant contre son fiancé.

— *No, girls, no time left.*

Henry lance ses clés de voiture aux deux autres filles, qui les regardent tomber par terre. Devant le manque d'enthousiasme des trois femmes vautrées dans leur salon, il prend même la peine de téléphoner à l'une des meilleures boutiques de mariage de tout Londres pour prendre rendez-vous le matin même.

*

Sophie se regarde d'un air sévère dans l'immense miroir devant elle. Debout sur son piédestal, elle peut aussi voir, dans le reflet, ses amies assises dans des canapés crème et or.

— J'ai l'air d'une madame.

— Mais t'es une madame, lui assure Lily, jouant distraitement avec son immense foulard d'une main, un thermos de café dans l'autre.

Ne prêtant pas attention au commentaire de son amie, Sophie fait un signe négatif de la tête à la vendeuse et se sent obligée de lui expliquer pourquoi elle n'aime pas la robe qu'elle a choisie.

— It's because of the short sleeves, I think. It makes me look like an old lady.

*

— J'ai l'air toute petite ! s'exclame Sophie, réalisant soudainement que trouver une robe de mariée ne sera pas aussi facile qu'elle le pensait.

— Ça serait difficile de faire autrement à la base, mais en plus, t'as l'air d'une petite boule, là-dedans !

— Tu m'aides pas, là, Ray.

*

— Elle est belle, hein ? demande la jeune femme à ses amies.

— Elle est belle… acquiesce Ray.

— Elle me va bien ?

— Elle te va très bien… répond Lily.

Sophie leur lance un regard découragé dans le miroir. Après vingt-quatre robes et trois boutiques, elle qui déteste essayer des vêtements, elle commence à en avoir ras le bol d'enfiler et d'ôter des robes blanches qui finissent toutes par se ressembler. Par contre, elle comprend ce que ses amies veulent dire : cette robe est jolie, voire parfaite, mais ce n'est pas la robe qu'elle veut non seulement pour éblouir Henry, pour essayer de faire pleurer son père et ses deux amies, pour laisser sans voix sa belle-famille, mais surtout pour se sentir comme une princesse.

Brusquement, Lily se lève, se défait de son foulard et remonte les manches de son veston.

— Attends. Ray, c'est à notre tour de choisir! termine-t-elle en l'entraînant avec la vendeuse vers l'arrière-boutique.

*

— *No way!* Il est hors de question que j'achète ça! lance catégoriquement Sophie en regardant l'immense housse transparente qui contient une des robes qu'elles ont trouvées.

— Tant mieux, c'est pas toi qui payes, souligne Ray, les bras croisés, avec un sourire convaincu sur le visage.

— Mais ça me ressemble pas!

Lily la regarde en penchant la tête, sourcils froncés, puis déclare:

— C'est tellement toi! Le problème, c'est que tu veux pas te l'avouer! Tu veux pas être comme ça... mais cette robe représente ta nature profonde de fillette qui veut un mariage de princesse!

La future mariée s'offusque:

— N'importe quoi! Pfff... J'ai jamais... Même pas!

— Sophie, mets-la pour nous, tente de la convaincre Ray.

— Essaye-la, juste pour voir!

— Aaaaaaah! Vous êtes toutes contre moi! crie la brunette en arrachant la robe des mains de la vendeuse pour l'essayer.

Celle-ci la suit mais se fait brusquement fermer la porte de la salle d'essayage au nez. Un instant plus tard, Sophie entrouvre timidement le battant:

— *Sorry, I need your help, after all...*

La vendeuse entre et entreprend de l'aider à mettre la robe. En sortant de la cabine, Sophie foudroie une dernière fois ses amies du regard, mais un petit sourire se glisse presque imperceptiblement sur ses lèvres.

Sourire que ses amies, ne cherchant ni la gloire ni la reconnaissance éternelle, prennent pour un remerciement sincère.

Un silence plane un instant, durant lequel la vendeuse observe à tour de rôle les trois jeunes femmes tandis que Lily et Ray fixent Sophie, qui s'examine sous tous les angles possibles.

— Je pense que ça serait mieux sans les bretelles, suggère-t-elle doucement.

— Oui, je pense aussi, la robe bustier serait plus jolie, assure Ray, déjà en direction de la vendeuse pour lui donner les directives concernant les changements à apporter à la robe.

27 mai

— Ça peut pas marcher, votre affaire ! Faudrait que je tâte quelque chose d'autre ! Un genou, ça me dit pas grand-chose…

— *No, no, no, no, I refuse !* dit le copain de Lily tandis que la dizaine de Québécois présents éclatent de rire.

Tom, assis en rangée en compagnie de cinq autres hommes, a lui aussi très bien compris le sous-entendu de la femme. Pendant qu'on lui bande les yeux, Sophie ne pense qu'aux conséquences si elle se trompe d'homme. Elle soupire, hausse les épaules et entreprend de palper les genoux de tous les hommes qui se trouvent devant elle. Arrivée à la hauteur d'un des candidats, elle entend un profond soupir d'exaspération.

— Ah, Louis !

— Quoi ? se défend l'interpellé.

— Arrête ! lui ordonne Sophie en croisant les bras devant son ami.

— J'ai rien fait !

— T'as soupiré.

— Ça aurait pu être n'importe qui.

— Non, y a juste toi qui soupires comme ça.

Ayant déjà éliminé un candidat, Sophie se tait alors et se concentre pour ne pas se tromper de genoux, et ainsi de mari.

Robes de demoiselles d'honneur : le cauchemar

— Il est où, donc, ton magasin pour les robes de demoiselles d'honneur ? soupire Lily dans son thermos de café en bâillant.

— Il est à côté du deuxième Starbucks sur Knightsbridge, répond calmement Sophie.

— Celui aux toilettes toujours brisées ?

— Non, ça, c'est le premier. Le deuxième, c'est celui où le Belge travaille.

— Ah, le Belge !

Lily finit d'enfiler ses chaussures et prend ses clés sur la petite table dans l'entrée.

— T'es prête ? demande Lily à Ray comme si elles partaient à la guerre.

— Ouais, dit Ray en se saisissant de son sac. Tu t'en viens-tu, Sophie ? Parce qu'on va partir sans toi, sinon !

— Je vous laisserai pas choisir les robes pour *mon* mariage sans moi. Des plans pour que je me ramasse avec des robes de marde.

— Tu nous fais pas confiance ? On a bon goût !

— Ouin, comme tu dis, termine Sophie en les poussant vers l'extérieur.

*

— Euh, je pense que… Il y a quelque chose qui marche pas, dit Ray.

— Moi non plus, je suis pas sûre, lance Lily.

— Si vous sortez pas, je peux pas vous aider !

Les deux jeunes femmes sortent de leur cabine respective et examinent leur reflet avec attention, l'air hésitant.

— La longueur est bonne… tente Lily.
— C'est ce qu'on voulait… continue Ray, mais…
Sophie se lève et s'approche d'elles. Elle se met à tâter la robe de Ray.

— Le drapé est tout croche. Ça fait trop… commence Sophie en tournant les yeux vers la vendeuse. *It's too fluffy.*

Sur ces paroles, Lily et Ray se tournent pour faire face à Sophie en la regardant, dubitatives.

— *They look like two big olives. I don't want to have two big olives at my wedding, do you understand?* demande doucement Sophie à la couturière.

*

— Je sais que c'est pas ce que tu voudrais entendre, mais pour une fois, on aurait dû écouter Henry : aller dans une boutique réputée où le monde le connaît pis où ils vont tout faire pour le satisfaire. C'est ça qu'il nous faut.

Sophie soupire fort et contemple désespérément ses deux amies. Elle sait que c'est ce qu'elle doit faire, et tout de suite.

— OK, changez-vous, j'appelle Henry pour qu'il me donne des noms pis je dis à la couturière de laisser faire.

Ses deux amies acquiescent et s'enferment dans leurs cabines. La jeune femme passe ensuite un coup de fil à son fiancé, qui lui donne le numéro de téléphone de sa belle-sœur, femme d'une gentillesse insoupçonnée et d'une classe notoire. Sautant dans le premier taxi qu'elles croisent, les trois femmes se retrouvent rapidement devant la petite boutique de Vera Wang.

Ray arrive en trombe dans la vaste cuisine, le chemisier à moitié boutonné, avec un sac en cuir noir à la main. Lily est debout près de la table et mange une toast d'une main alors qu'elle fouille dans plusieurs piles de papiers de l'autre. Sophie regarde son cellulaire de travail et semble être complètement absorbée par la composition ardue d'un message destiné à un de ses collègues.

— J'ai eu un téléphone hier de mon boss. J'ai pas pu t'avertir, Lily, t'es rentrée beaucoup trop tard… commence Ray.

— Trop tôt, corrige la rousse avec le peu d'humour qu'il lui reste, clairement épuisée par son deuxième voyage à Paris, où elle a commencé le processus de distribution des rôles.

— Je suis envoyée à Glasgow aujourd'hui pour interviewer le chef du syndicat des transports en commun qui sont en grève. Je vais être de retour vers 9 heures ce soir.

Lily la regarde un instant avant de saisir le sens de sa phrase.

— Mais tu peux pas partir aujourd'hui, c'est toi qui tiens le café ! Moi, je suis en pourparlers avec les producteurs, on doit réviser la dernière partie du scénario et parler des lieux de tournage !

— J'ai laissé les clés à Sophie, elle s'occupe de tout aujourd'hui. Elle va apporter ses trucs pis travailler au café.

— Ça te dérange pas ? demande Lily en se tournant vers la brunette, l'air coupable.

Celle-ci lève les yeux vers ses amies et secoue la tête.

— Ben non. J'ai juste quelques appels à faire pour le mariage. Faut toutes qu'on fasse des concessions pendant que toi tu joues à la correspondante étrangère…

Elle sourit.

— Bon, c'est juste l'Écosse, mais c'est de même que ça commence…

— Ben oui, je sais ben… Et pendant que toi, continue Sophie à l'intention de Lily, tu te concentres sur les Oscars…

— Les Oscars ?

La jeune femme éclate d'un rire guttural.

— Bon, mettons un festival de films indépendants, là, à Rome ou en Espagne…

Lily n'écoute déjà plus, frappée par une idée subite. Elle fouille dans une pile de feuilles manuscrites.

— J'avais commencé mes corrections pour les scènes que je révise aujourd'hui ! s'énerve-t-elle.

— Ici !

Sophie lui tend un ramassis de papiers qui dépassent de ses dossiers.

— Je les ai trouvées avec mes autres documents, hier dans le salon.

Lily regarde Sophie, l'air perplexe.

— Dans tes dossiers ? OK…

Tandis que Lily vérifie qu'il s'agit des bonnes feuilles, Ray boutonne sa chemise après avoir volé une toast à Lily et Sophie lance son cellulaire au fond de son sac en soupirant, déjà fatiguée de sa journée qui n'a pas encore commencé.

27 mai

— Ark, grogne Lily en fixant son assiette.

— Ark, répète Ben.

— Ark ! soupire tout bas Ray en lâchant sa fourchette.

Tom, qui n'a pas touché à sa nourriture lui non plus, indique d'un coup de tête la table d'honneur au reste du groupe. Sophie et Henry regardent aussi leurs assiettes avec dégoût. Puisque le mariage se passe en terre britannique et qu'il était hors de question que les parents d'Henry aient un mot à dire à propos des robes et de la décoration, ceux-ci ont choisi de s'attaquer à la nourriture. Nourriture qui, au grand désarroi de Sophie, est trop... trop. C'est donc depuis le début du repas que les deux mariés échangent des regards gênés avec la table des demoiselles d'honneur, de leurs cavaliers et de la petite sœur de la mariée. Tandis que Camille, Tom, Lily, Ben et Ray repoussent leurs assiettes pour discuter, Henry se lève en s'excusant auprès de ses parents. Il rejoint la table de ses amis et se penche entre Ray et Lily en encerclant leurs épaules de ses avant-bras. Ray sent le grattement d'un billet de banque sur son bras.

— *Pizza, girls ?*

Ray prend discrètement le billet de 50 livres tandis que Lily sort déjà son téléphone pour aller composer le numéro de la pizzeria en cachette.

— *Cheese and bacon ?* demande-t-elle.

— *Cheese and bacon*, confirme Henry avant de retourner auprès de sa femme et de leurs parents.

*

De loin, les deux mariés voient Lily faire un signe discret à Ray. Suivies de Ben et de Tom, les femmes se lèvent, laissant Camille seule à la table.

Les mariés échangent un regard.

— Ç'a l'air urgent, on devrait aller voir, dit maladroitement Sophie avant de se lever en compagnie d'Henry pour aller rejoindre leurs amis à l'entrée, qui accueillent sans doute le livreur.

*

— Camille ! Camille ! murmure sa mère afin d'attirer son attention.

La jeune fille texte nonchalamment sur son téléphone. Les quatre autres occupants de la table et les deux mariés sont déjà partis depuis un moment. Camille lance un regard circulaire, croise celui de sa mère qu'elle ignore et se lève en direction du bar. Après des œillades et quelques sourires charmeurs au serveur, elle réussit à négocier une bouteille de champagne et sept coupes qu'elle essaie de loger dans son sac à main. De sa main libre, elle prend la bouteille et sort elle aussi de la salle. Elle se dirige d'instinct vers la petite pièce qui a servi à Sophie lors du changement de robe. Elle cogne à la porte à l'aide de son pied.

— C'est là que vous vous cachez ? lance Camille à Ben qui vient de lui ouvrir la porte.

Elle a devant elle tout un tableau : six adultes élégamment habillés coincés dans une pièce minuscule, des boîtes de pizza à leurs pieds.

— J'espère que vous m'en avez laissé, au moins.

— Tu peux manger nos croûtes, répond Sophie.

Pour toute réponse, sa petite sœur lui montre la bouteille de champagne qu'elle tient à la main.

— Il en reste un peu dans cette boîte-là, concède finalement Sophie en ouvrant du pied la boîte près d'elle.

Paris : The Return

Lily s'écoute marcher. Le bruit de ses talons dans une des innombrables rues pavées de Paris la tranquillise. Habitée par un mélange étrange de vide émotionnel et de pensées tourbillonnantes, elle chemine seule pour une rare fois ces derniers temps. Elle avance vers un but inconnu, se laissant guider par l'odeur de la pluie de fin de journée. Le tournage a commencé depuis une semaine. Elle regarde sa montre et sourit à l'idée qu'à Londres, Ray doit déjà préparer ses bagages et acheter le billet du train qui l'emmènera jusqu'à Paris pour faire son reportage sur les politiques récentes adoptées à la mairie de la capitale française.

Clac, soupir, soupir, clac, clac, soupir. Thomas vient faire un tour dans sa tête, accompagné d'une certaine forme de honte. Honte de ne s'ennuyer qu'à l'heure où elle se couche enfin. L'excuse du travail est beaucoup trop facile. « J'aime Paris ! » Elle croise un bistro et sourit, nostalgique. Lily repousse ses cheveux derrière ses épaules d'un mouvement de la main et entre dans le petit bistro pour y commander une crêpe au chocolat. Souvenir indélébile qu'elle garde de son adolescence, de son tout premier voyage à vie, ici.

Elle sent son téléphone vibrer au fond de la poche de sa veste. La crêpe dans une main, le minuscule sac à main sous le bras, elle prend son téléphone et regarde l'écran au centre de son gant violet.

« Je me mets à la technologie. Je ne fais pas qu'appeler ! Je suis capable d'écrire avec ce machin… Je suis à mon restaurant et je viens d'avoir une illumination pour la scène de demain. Tu me rejoins ? »

Lily laisse échapper un rire qui résonne dans la rue déserte. Cet homme n'arrêtera jamais de travailler. Pour lui, c'est un jeu. Il est un *passionnaire*. Lily se demande même si la mort pourra jamais l'arrêter de vivre avec autant de passion. Soixante ans et il n'a jamais été aussi vivant. La rousse resserre son écharpe et revient à la réalité. Un simple coup d'œil aux noms des rues lui fait remarquer qu'elle n'est pas loin. Elle ne prend pas la peine de répondre au message et se rend directement au restaurant.

Ses pensées se redirigent vers Thomas. Passer sa vie avec quelqu'un qui ne parle pas la même langue que soi, au départ, est-ce que c'est possible ? Il ne s'agit pas seulement de deux semaines ou de six mois mais d'une vie entière ! « Au moins, il comprend le français, il le parle même pas trop mal. » Mais peut-il vraiment saisir la portée d'une métaphore ? Que ce soit Ducharme ou Rostand, peut-il appréhender l'ampleur de leurs mots ?

L'anglais et le français se sont fait la guerre pendant si longtemps. Maintenant, ils se confondent.

Lily cligne des yeux à quelques reprises et s'aperçoit qu'il fait complètement nuit. Un sourire vient éclairer son visage lorsqu'elle voit devant elle le restaurant qui laisse filtrer sa douce lumière jaune à l'extérieur. Laissant ses pensées sur le pas de la porte, Lily entre à La Fontaine Gaillon.

Paris, je t'aime

Ray est dans le taxi qui l'emmène de l'aéroport jusqu'à son hôtel. Leur hôtel, en fait, puisqu'elle s'est arrangée pour suggérer au journal le nom de l'établissement où Lily est descendue pour son séjour. Mais cette fois-ci, la chambre de la rousse est payée par les producteurs, et celle de la blonde, par le journal. Perdue dans ses pensées, elle regarde Paris, calme en ce dimanche. La plupart des petits commerçants, des marchands de fruits et des magasins de denrées en vrac sont fermés. Les cafés sont vides, au profit des terrasses des restaurants.

Le taxi la dépose à l'entrée de l'immeuble blanc, étonnamment haut et étroit. Elles l'ont toujours dit : Londres est la raison, et Paris, l'excès. Ray entre dans le hall aux murs tapissés de rouge tandis que deux hommes en sortent tout en discutant dans un excellent français, ce qui la fait sourire. Elle devra se réhabituer non seulement à entendre parler français mais surtout à être comprise quand elle parle cette langue. Avec un soupir, elle se dit que Lily et elle devront arrêter de dire à voix haute tout ce qu'elles pensent. Elle va à la rencontre de l'élégante dame à la réception, qui lui remet sa clé et lui indique l'ascenseur pour qu'elle monte avec son petit bagage.

Au cinquième étage, elle passe tout droit devant sa chambre et va plutôt cogner directement au 512. La porte s'ouvre sur Lily, brosse à dents en bouche.

— ALLÔ ! crie-t-elle avant de lui faire signe d'entrer.

Ray se jette sur le grand lit moelleux tandis que son amie retourne à la salle de bain. Après quelques secondes de silence, Lily s'écrie :

— On dépose tes trucs et on va manger ? J'ai du ben beau monde à te présenter !

*

Assise sur le lit de l'hôtel, Ray tape avec ferveur sur les touches de son clavier. L'entrevue n'a pas tout à fait été une réussite : le maire est arrivé en retard et lui a accordé deux minutes de moins que prévu. De plus, l'attaché de presse a refusé qu'il réponde à deux de ses questions. Ray écoute encore et encore l'entretien qu'elle a enregistré. Ce qu'elle aime de son travail, c'est décrire l'ambiance tendue et le tempérament bouillonnant de l'homme pour faire comprendre aux lecteurs l'énergie désagréable que dégage le politicien. La rencontre n'a pas été bonne, mais l'article, lui, le sera.

27 mai

Une fois que le repas dégoûtant est terminé et que les mariés sont discrètement revenus à la table d'honneur, les quelques discours s'éternisent. Le père du marié, d'humeur légère, y est même allé d'une ou deux blagues où un auditeur attentif aurait pu déceler une pointe de condescendance. Le sourire figé de Sophie s'efface dès qu'elle aperçoit Ray se lever et faire signe à Lily, assise à côté d'elle, d'en faire autant. Abrutie par l'alcool, la rouquine tente de rester droite sur ses talons hauts. Ray a déjà tendu une main quémandeuse vers le beau-père de son amie, qui lui donne le micro. Sophie ouvre la bouche, mais elle est interrompue par Ray avant d'avoir pu protester.

— Bonsoir tout le monde ! Vous avez apprécié le souper ? demande-t-elle avec sarcasme tandis que Lily sourit de façon ironique.

La rouquine balaie la salle du regard pour se rendre compte qu'elle n'arrive pas à voir tout le monde. Elle s'approche du micro.

— Attends, Ray. On voit pas vos belles faces d'ici, *guys* ! reprend Lily avant de s'adresser encore une fois à sa copine. Tu penses qu'on pourrait monter sur quelque chose ? On pourrait monter sur nos chaises !

— Bonne idée, attends, tiens-moi ça.

Ray donne le micro à son amie avant de relever sa robe à deux mains. D'un mouvement mal assuré, elle se hisse sur sa chaise et tend le bras à Lily pour l'aider à faire de même tout en tanguant dangereusement sur ses talons hauts. Une fois son équilibre retrouvé, Lily, cramponnée au micro, s'adresse aux invités :

— Sophie nous a interdit de faire un discours. On sait pas trop pourquoi, elle avait pas l'air de nous faire confiance là-dessus.

Quelques rires montent dans la salle, probablement de leurs mères respectives. Malheureusement, cette hilarité ne fait qu'alimenter Lily.

— Je sais, hein ? Pourtant, on l'a beaucoup aidée pour la préparation du supposément plus beau jour de sa vie…

Ray s'empare du micro.

— Ouin. On a magasiné des robes, on a goûté des gâteaux, on a matché des couleurs…

— On a gossé des centres de table !

— Elle peut pas dire qu'on était pas intéressées, là. En fait, on veut son bonheur, pis c'est pour ça qu'on s'est autant impliquées.

— Oui, c'est bien dit, ça, Ray.

Les deux femmes se sont tournées vers Sophie pour prononcer cette dernière phrase, mais la mariée ne bronche même pas sous leurs regards attendris. Lily reprend :

— Oui, c'était important pour nous qu'elle sente qu'on l'aime pis qu'on veut l'aider, faque on a décidé d'écrire un beau discours pour partager tout ça avec elle et avec vous.

— Mais elle nous a un peu pognées en train de l'écrire et elle nous a dit qu'elle voulait pas qu'on parle, qu'elle préférait qu'on reste discrètes.

— Mais on est pas vraiment du genre discret.

— Ouin, elle nous connaît mal. Elle avait sûrement peur qu'on en profite pour raconter quelques-unes de ses humiliations publiques, ou d'autres belles histoires comme ça...

— Quoi ? Nous ? Raconter ça à son mariage ?! Pffff, voyons !

Le discours des deux jeunes femmes est décousu et les nombreux verres qu'elles ont bus au cours de la journée y sont pour quelque chose. Les invités qui comprennent le français commencent à se dérider, tandis que les anglophones sont plutôt dubitatifs.

— Bon, faque là, parce qu'elle nous a dit non, ben on est allées demander à Henry, poursuit Lily.

— Ben oui, on a fait ça... continue Ray d'un ton entendu.

— Pis y nous a dit que ça lui ferait plaisir qu'on parle à la réception !

— Moi, je pense qu'il essayait d'être poli...

— Je suis d'accord. Il est poli, Henry, on peut pas dire qu'il est pas poli.

— *Nope !* Ah, regarde ! dit Ray en pointant la table d'honneur. Sophie nous fait ses gros yeux ! Ha ha ha ! Tu sais, les gros yeux qu'elle faisait parce qu'elle avait peur qu'on la ridiculise devant Henry, quand ils commençaient à sortir ensemble ?

— Tellement ! Comme la fois qu'il était resté à souper, qu'il avait vu *Le Petit Prince* traîner dans le salon pis que je l'avais appelé Petit Prince toute la soirée ! raconte Lily.

— Oh oui, c'était drôle, ça ! T'es trop drôle, Lily !

— Je le sais, des fois, je me trouve tellement drôle !

Les deux filles rient bêtement pendant quelques secondes avant que Lily reprenne le contrôle du micro.

— Bon ben, s'cusez tout le monde, ç'a été plus long que prévu comme discours. Je pense qu'il est temps qu'on enchaîne un peu, là…

— Hum… ben…

Les demoiselles d'honneur se regardent sans trop savoir quoi dire.

— On vous souhaite une belle vie de mariés, une vie belle et… de mariés ? Ben… Une longue vie ? Ensemble ?

— *Live long and prosper !* crie Lily en levant son verre.

The Day Before the Day Before Tomorrow : la veille

Sophie se réveille doucement sous les lourdes couvertures si confortables. Elle sent qu'elle est seule dans le lit. Henry est sans doute parti tôt ce matin pour faire une partie de golf ou quelque chose d'ennuyeux dans le genre, pour commencer sa journée d'enterrement de vie de garçon. La jeune femme s'assoit dans le grand lit. Elle aperçoit son téléphone, qui lui indique qu'elle a un nouveau message.

« *Hi, sweetie, it's me. I wanted to wish you a nice day and I didn't want to wake you up because…* tu es belle quand… *eeeh, you sleep. I wanted to give you a gift for this special day so… I left you my credit card next to the telly, and you have no limit.* »

Elle sourit, attendrie par l'attention d'Henry.

« *But, please, don't tell the girls. I also hired you a personal driver for the day. Enjoy. I love you. See you tomorrow.* »

Sophie se débarrasse des couvertures d'un seul coup pour courir jusqu'au pied du lit. Elle frappe férocement avec la paume de sa main contre la table basse et sent le minuscule relief de la carte de crédit. La jeune femme échevelée la prend et constate qu'on peut y lire le mot *Platinum*. Son premier réflexe est de se précipiter sur le téléphone.

*

Lily cherche fébrilement l'appareil qui sonne dans le canapé du salon.

— Allô ? répond-elle, essoufflée.

— C'est moi !

— C'est Sophie ! hurle Lily à l'intention de Ray, qui se trouve elle ne sait où dans l'appartement.

— Salut, Sophie ! lance la voix de la grande blonde.

— Ray te fait dire allô !

— Allô ! crie Sophie dans le combiné.

— Sophie te fait dire allô !

— Prenez le temps de bien vous habiller et attendez-moi, j'arrive.

— OK ! accepte joyeusement Lily.

— Bye !

Au bout d'une quinzaine de minutes, le téléphone sonne de nouveau. Cette fois, Lily arrive en courant, une paire de boucles d'oreilles dans la bouche.

— Allô ? marmonne-t-elle.

— Descendez, je suis là !

— Pourquoi tu montes pas ?

— Descendez, lui répète Sophie d'un ton confiant.

Lily et Ray dévalent donc les escaliers aussi vite que leurs escarpins le leur permettent. Une fois dehors, sous le soleil de mai, les deux femmes s'immobilisent devant l'immeuble, bouche bée.

— Wow !

— VUS Lincoln, répond la jeune femme, les bras croisés, debout devant la voiture. *Avec* chauffeur privé.

Sophie ouvre la portière à ses deux amies et leur fait signe de s'asseoir.

— Est-ce que tu crois qu'il a une casquette de chauffeur ? glisse Lily à Ray en montant à bord.

Sophie se joint à elles en s'asseyant sur un siège individuel devant ses amies, installées sur la grande banquette en cuir.

— *Where do we start, Madam ?* demande le chauffeur en ajustant son veston.

— *A nice place to have breakfast, please, Alfred*, demande-t-elle, très à l'aise.

— *My name is not Alfred.*

— *It will be Alfred for the day, OK ?* suggère Sophie, débordant de bonne humeur.

— *Like in* Batman *?*

— *Like in* Batman.

*

— C'est pas laid, mais… commence Ray.

— J'aime bien Chanel, mais… continue Lily, assise en compagnie de Ray dans un des divans luxueux de la salle d'essayage.

— C'est un classique ! rétorque Ray.

— Je sais ! « La mode se démode, mais le style, jamais » ! Sauf que pour un enterrement de vie de jeune fille, je préfère Oscar de la Renta.

— Oui, soupire Ray, moi aussi. Oscar de la Renta.

— Moi, j'aime Chanel, bon ! retentit la voix de Sophie derrière une cabine.

— Si j'étais toi, je prendrais la robe que tu as essayée chez Vivienne Westwood. Tu sais, la verte à pois blancs ?

*

Lily reste timidement dans sa cabine après en avoir poussé la porte.

— Elle est tellement belle !

— Je sais ! Je te l'avais dit que De la Renta me convenait mieux.

— Cette robe est superbe. Le motif est gros, mais pas rouge trop foncé…

— Comme ça, ça jure pas avec mes cheveux !

Lily sort de sa cabine pour se regarder dans les miroirs. La robe courte au buste plissé et asymétrique affine sa taille grâce à une ceinture blanche. La jeune femme tourne sur elle-même pour voir les fins motifs fleuris rouges sur fond beige qui ornent toute la robe. Le bas, tout aussi asymétrique que le buste, dévoile, sur un côté, une fine ligne de dentelle blanche.

— C'est clair que je la veux.

— C'est la veille de mon mariage, c'est même pas discutable, affirme Sophie en sortant la carte Platinum de sa nouvelle pochette Chanel en cuir noir.

*

— Tout un décolleté !

— J'aurai juste à mettre un foulard par-dessus, pour cacher, répond Ray.

Elle défile devant le miroir et tourne sur elle-même dans sa robe d'un sombre fuchsia, cintrée à la taille. Hermès est plus dans ses cordes, non seulement pour son côté classique mais aussi pour sa légère touche sexy. Les deux autres femmes, leurs robes patientant dans la voiture de luxe, attendent que Ray paye la sienne avec la carte d'Henry.

The Evening Before the Day Before Tomorrow : **le soir de la veille**

— NON !

Les trois filles s'écroulent de tout leur long en plein centre du couloir du huitième étage. Lily, sous ses boucles volumineuses, éclate d'un fou rire qui entraîne ses copines. L'une près de l'autre, elles rient au beau milieu du couloir de leur hôtel prestigieux de Londres.

Hilares, elles profitent de chaque seconde pour ne pas penser à la suite des choses, ne pas songer à ce qui arrivera après le mariage du lendemain.

— Faudrait qu'on ramasse nos carcasses… lance Sophie en essayant de se lever. *Damn*, j'ai tellement une haleine de scotch !

Sa robe à pois bascule autour d'elle à chaque mouvement. Une fois remise sur ses escarpins, elle regarde ses deux amies vautrées dans le corridor. Ray et Lily ne semblent pas avoir l'intention de la suivre.

— Vous avez l'air de vraies gamines, les filles ! Grandissez un peu ! tente Sophie en croisant ses bras gantés sur sa poitrine.

— Ça fait longtemps qu'on a fini de grandir. Le pire qui peut nous arriver maintenant, c'est de continuer à vieillir, constate Lily avec dégoût.

Sophie s'assoit sur la chaise style Renaissance du décor chargé et sophistiqué de l'hôtel. Elle se trouve juste à côté d'une petite table d'appoint sur laquelle trône un téléphone. Sophie observe ses deux amies s'installer plus confortablement sur le plancher.

— J'ai le goût de manger du gâteau, dit Lily en brisant le silence qui s'est installé.

— Surprenant, répond Ray, ironique.

— J'ai faim.

— Étonnant, reprend la blonde sur le même ton, puisqu'on vient de trop manger et de trop boire.

Lily se met à battre des jambes en regardant ses chaussures.

— J'ai le goût de manger des beaux gâteaux, précise-t-elle, comme si ses amies la comprenaient mal.

— Toutes les pâtisseries sont fermées à cette heure-là ! Et… il faudrait se lever, soupire Ray.

— Ben non ! s'exclame Lily en frappant le sol des mains. On a… ça ! crie-t-elle en pointant le téléphone caché sous Sophie, qui est en partie couchée sur la table d'appoint. *Room service !*

Sophie et Ray se regardent pendant quelques secondes.

— Pis s'ils ont pas de gâteaux… de beaux gâteaux ? demande Sophie.

— Ils vont pouvoir nous en préparer ou nous en faire livrer, j'en suis convaincue, répond Ray en se relevant un peu pour s'asseoir, un sourire machiavélique flottant sur ses lèvres.

Sophie redresse la tête, loin d'aimer ce regard. Lily, l'ayant remarqué elle aussi, s'appuie sur ses coudes pour connaître l'idée de son amie.

— Nous avons la carte de crédit de monsieur ou nous n'avons pas la carte de crédit de monsieur ? commence Ray.

— Oui…

— Il nous a dit de nous en servir à bon escient ou il nous a pas dit de nous en servir à bon escient ?

— OUI ! répond Lily avant que Sophie puisse ouvrir la bouche de nouveau.

— Alors… conclut Ray en laissant flotter sa phrase tout en levant les mains avec un air innocent.

Sophie soupire fortement avant de saisir le combiné du téléphone.

— Comme si on l'avait pas déjà assez utilisée à bon escient…

— Oui, mais aujourd'hui, on a le droit.

*

C'est dans une luxueuse suite de l'hôtel que les trois femmes assistent à un délicieux spectacle. Une montagne de plateaux et d'assiettes à pâtisserie écrase les tables de la grande chambre. Des gâteaux à plusieurs étages côtoient des mousses multicolores aux décorations extravagantes. Cupcakes et brownies défilent sous leurs yeux pour leur plaisir exclusif. Érable, fraise, menthe, mangue et chocolat coulent à flots devant l'expression ébahie de Sophie, le rictus conquérant de Lily, qui ouvre la porte à tout garçon d'étage ou pâtissier ayant répondu à l'invitation, et le sourire malicieux de Ray, debout au centre de la suite pour indiquer aux employés où disposer les pâtisseries et pour offrir quelques billets de banque aux hommes les plus charmants.

27 mai

Ray et Lily sont assises, penaudes, dans la salle de réception presque vide, Ben et Tom à leurs côtés. Les serveurs commencent à ramasser et, outre un groupe de jeunes hommes louches qui jouent au poker au fond de la salle, il n'y a plus grand monde. Même les mariés se sont éclipsés presque une heure plus tôt.

— Elle nous a pas dit bye !

— *But you'll see her in two days for lunch.*

— On est seules au monde ! murmure Ray en contemplant le fond de sa coupe vide.

— *You're not alone…*

— Ben a raison, on est encore deux… On est deux au monde ! l'encourage son amie.

— *That's right*, lâche Tom, découragé, en échangeant un regard avec Ben.

***The Night Before the Day Before Tomorrow*: la nuit de la veille**

Les trois femmes sont dans la petite bibliothèque de l'hôtel. Des divans moelleux aux tissus de style Renaissance sont placés autour de multiples tables basses en verre décorées de vases luxueux. En pyjama, les trois amies discutent paisiblement autour de chocolats chauds. Adjacente à la réception, la pièce offre tout de même une atmosphère feutrée et paisible, surtout à cette heure. L'homme qui s'occupe de la réception la nuit observe les trois complices. Il n'a pourtant pas envie de les avertir que l'endroit est censé être fermé depuis longtemps et que leurs tenues, en temps normal, risqueraient de choquer certains clients. Ray, Sophie et Lily, les pieds emmitouflés dans des bas de laine en raison de la climatisation mais en shorts très courts à cause de la chaleur estivale, se racontent les aventures qu'elles ont vécues ensemble jusqu'à présent.

Elles parlent de Tom, Henry et Ben.

De leur taudis à leur bel appartement.

De Sophie qui se marie.

De Ray qui va habiter avec Ben.

De Lily qui va bientôt partir pendant trois mois pour commencer la promotion de son film à Paris.

Sophie décide finalement d'aller dormir, donnant comme excuse qu'elle se marie dans quelques heures.

— Qu'est-ce qui va se passer, après ça ? demande Ray calmement.

— Je sais pas, répond Lily en haussant lentement les épaules.

Épilogue

Lily et Ray sont déjà assises dans l'ambiance obscure et beatnik du *diner*, vêtues de petites robes vintage, lorsque Sophie fait acte de présence.

— Désolée pour le retard, mais j'ai une bonne excuse : devoirs conjugaux ! annonce la nouvelle arrivante.

— C'est vrai, nous, on connaît pas ça. Comment c'était, ta nuit de noces ?

— Ben… c'était super correct. On était juste pas chez nous. Ça nous a quand même pas empêchés d'essayer toutes les pièces de la suite.

— J'espère bien ! T'as une réputation à maintenir, affirme Lily.

— En plus, il faut que je m'entraîne avant le voyage de noces.

— Vous partez quand, au fait ?

— Dans quatre jours ! L'Italie… dit Sophie, l'air rêveur.

— Pis vous me laissez toute seule pour le déménagement, lâches… soupire Ray.

— C'est ce soir ou demain que tu pars, Lily ? demande Sophie.

— Demain matin. J'ai amené mon stock à l'appart de Tom aujourd'hui.

— Lui, il reste ici ?

— Il m'accompagne pour régler une couple d'affaires à Paris, mais il revient après.

— T'es mieux de revenir toi aussi. Je garderai pas Gorky pendant quinze ans, l'avertit la blonde.

— Tu le refileras à Tom. Je reviens dans trois ou quatre mois max, de toute façon.

— Pour venir vivre avec moi et Ben ?

— T'es-tu malade !

— Ben quoi ? On a l'appart !

— Un point pour elle, commente Sophie.

— Mais je vais habiter avec Tom, il a un walk-in pis une salle de bains intégrée à sa chambre.

— Bon point pour Tom !

— T'as raison. On va être bien à deux. Oliver a tellement hâte… dit Ray en souriant à la serveuse qui leur apporte à boire. Il rêve juste d'avoir le *flat* de Ben à lui tout seul.

Les trois femmes se taisent et se regardent en silence pendant quelques instants.

— C'est-tu le moment où on devient des adultes, ça ?

— Si devenir adulte veut dire ne plus se voir pis être en couple *steady*… oui.

— Mais quand Sophie va revenir, on va se voir, nous, répond Ray.

— Merci pour l'encouragement, Ray, dit Lily.

— Pis Henry va nous payer le voyage à Paris pour aller te voir !

— C'est avant ou après que tu lui annonces que t'es enceinte ?

— Les *kids*, c'est pas pour tout de suite, affirme Sophie.

— On s'en reparlera quand on se reverra, dans deux ou trois mois, rétorque Lily.

— OK, dit la brunette sans grande conviction.

— Ouin, approuve Ray.

Le silence se fait à nouveau alors que les trois femmes parcourent distraitement leur menu. La serveuse arrive, mais Ray lui fait signe qu'elles n'ont pas encore choisi. Lily brise le silence, un grand sourire aux lèvres :

— Je vais revenir avec des petits Converse pour ton petit gars.

— Parce que je vais avoir un petit gars…

— C'est évident, dit Lily.

— Roux, souligne Ray.

— Oui, acquiesce Sophie.

— Avec un mohawk, ajoute Lily.

— Henry va aimer ça !

— On s'en crisse d'Henry ! Il payera le linge qu'on va choisir pour sa progéniture, rétorque Ray.

— Sinon, quel père indigne ! rit Sophie.

— Certain !

— On va lui apprendre le français, affirme Lily.

— C'est son père qui va sacrer, rigole la brunette.

— C'est à lui d'apprendre le français, déclare Ray, sans pitié.

— Toi aussi tu trouves, hein ?

Remerciements

Nous souhaitons remercier tous les cafés, bars et restaurants qui nous ont gracieusement fourni napperons, serviettes de table et essuie-mains sur lesquels la plus grande partie de ce livre a été écrite. Nous tenons aussi à remercier nos amis et familles pour leur appui et leur patience continuels, eux qui ont dû tolérer notre enthousiasme à toute heure du jour et de la nuit. Nous rions fort, et nous le savons.

« Je veux remercier ma famille et mes amis (particulièrement les archéologues déjantés avec lesquels je passe de merveilleuses soirées). Merci à Daniel, Sophie et Camille d'être toujours là pour moi et de me soutenir dans toutes mes décisions, même si je sais que parfois vous ne les comprenez pas. Merci à Jocelyn et Line de m'avoir si facilement acceptée dans votre famille. Merci à Benoit de rester à mes côtés et de m'aimer malgré mes folies et mes humeurs (changeantes). Enfin, merci à Spydie de m'endurer depuis aussi longtemps (même si t'as pas vraiment eu le choix !). Un immense merci à vous tous de me faire rire, vous m'êtes indispensables, je vous aime. » – Véronique

« Je tiens à remercier ma famille, mes amis et Elliot pour leur amour, leur soutien et leur folie au quotidien ; vous êtes ma maison. À Élisabeth – maman, complice et première lectrice –, merci pour les heures d'échouage, les conversations de baleine et les cafés Skype. S'il est vrai qu'on grandit pour devenir sa maman, tout le privilège est pour moi. À Richard, qui viendrait me chercher à l'autre bout du monde si je le lui demandais, merci d'être tout ce qu'un papa devrait être. Finalement, merci à Gabriel d'avoir toujours accueilli même mes idées les plus farfelues, ainsi qu'à Dominic, camarade de lettres : *habent sua fata libelli.* » – Marion

« *À mes amis, mes amours, mes emmerdes…* Merci à mes amis : depuis peu, de passage, à fourrure et mon ami de longue date, Hubert. Merci à mes amours : ma famille, ma fée marraine Lise, mes neveux et nièces en or qui me rappellent que l'amour est le plus beau cadeau que l'on peut offrir, ma meilleure amie, Maman, à qui je dois la vie à plus d'une reprise, je t'aime "gros comme des millions, de trillions de cillions de terres". Simon, qui a des superpouvoirs pour m'endurer… et qui m'offre le sentiment que l'on forme une vraie petite famille avec nos chats. Merci à mes emmerdes : *I have a few regrets, but much more than this, I did it my way.* » – Anne-Marie

Suivez les Éditions Libre Expression sur le Web :
www.edlibreexpression.com

www.27mai.ca

Cet ouvrage a été composé en Minion Pro 12/14
et achevé d'imprimer en avril 2015 sur les presses
de Marquis Imprimeur, Québec, Canada.

certifié

procédé
sans chlore

100 % post-
consommation

archives
permanentes

énergie
biogaz

Imprimé sur du papier 100 % postconsommation,
traité sans chlore, accrédité Éco-Logo et fait à partir de biogaz.